Un golpe de viento

Para Katia Castañeda de parte de un camello
J. P. M.

A mis hermanos, por volar junto a mí cuando el viento sopló más fuerte
A. L.

Coordinación de la colección: Mariana Mendía
Cuidado de la edición: Ariadne Ortega González
Coordinación de diseño: Javier Morales Soto
Diagramación: Gabriela Sánchez y Antonio Montero Arízaga
Ilustraciones: Andrés López

Un golpe de viento

Primera edición: mayo de 2018

Insurgentes Sur 1886, Florida,
Álvaro Obregón,
01030, Ciudad de México, México.

Ediciones Castillo forma parte del Grupo Macmillan.

www.edicionescastillo.com
Lada sin costo: 01 800 536 1777

Miembro de la Cámara Nacional de la Industria Editorial Mexicana.
Registro núm. 3304

ISBN: 978-607-540-200-0

Impreso en México / *Printed in Mexico*

JAVIER PEÑALOSA M.

Ilustraciones de Andrés López

Un golpe de viento

A RODRIGO NO LE QUEDA EL SUÉTER

ADVERTENCIA: Si tienes este libro en las manos es muy importante que sepas algo antes de leerlo. Esta historia es una historia de verdad. Éste no es un cuento fantástico, es algo que podría pasarle a tu primo o a una amiga de la escuela; es algo que podría pasarte a ti, pero le pasó a Rodrigo García. Ahora que ya sabes esto, voy a contarte la historia.

Todo empezó una mañana como cualquier otra. Rodrigo se levantó de la cama, se metió a bañar y cantó una de sus canciones favoritas mientras se ponía champú en la cabeza. Ya casi estaba terminando de secarse cuando Laura Núñez, su mamá, tocó la puerta del baño:

—¡Rodrigoooooo, se te hace tarde para la escuela, ya ven a desayunar!

Rodrigo se puso el uniforme lo más rápido que pudo, tomó su mochila y fue a la cocina. Cuando entró olía a pan tostado y a melón recién cortado.

El papá de Rodrigo se llamaba Antonio García y todas las mañanas tomaba una taza de café caliente antes de llevar a su hijo a la escuela.

Hasta aquí todo parece muy normal, ¿no?

Sin embargo, lo que pasó después cambiaría la vida de la familia García Núñez para siempre.

Cuando dieron las 7:30 de la mañana Antonio se ajustó la corbata, tomó su maletín del trabajo y le dio un beso de despedida a su esposa Laura. Después, Rodrigo también le dio un beso en el cachete a su mamá y, como todas las mañanas, ella lo abrazó, le acomodó el pelo (siempre le acomodaba el pelo) y luego el suéter.

Fue entonces cuando Laura Núñez se quedó tan fría como una paleta helada de limón.

—Rodrigo García Núñez.

Sólo podría tratarse de malas noticias para el niño. Siempre que su mamá lo regañaba decía su nombre completo, con los dos apellidos.

—¿Qué? —preguntó Rodrigo asustado.

—¿Me puedes decir, por favor, de quién es este suéter?

—Mío, es mi suéter, mamá.

—Rodrigo, sabes muy bien que no me gustan las mentiras.

—¡Pero te prometo que es mío, mamá! —exclamó Rodrigo.

Y Antonio, que no podía dejar de ver su reloj, dijo:

—Se nos está haciendo muy tarde para llegar a la escuela.

—Sí, ma, se nos está haciendo tarde. Después nos vemos, ¿sí?

Rodrigo se puso la mochila e intentó escapar por la puerta de la cocina, pero Laura lo detuvo con un movimiento tan veloz como el de un tigre. Era muy difícil escapar de ella.

—Bueno, si de verdad es tu suéter, ¿podrías explicarme por qué te queda grande?

Rodrigo se vio las mangas azules. Su mamá tenía razón, el suéter de la escuela le quedaba un poco más grande de lo normal. Ya le había pasado otras veces; en el patio, a la hora del recreo o de la salida, había tomado sin querer el suéter de otra persona. Una vez se llevó el suéter de Martín y le quedaba grande, otra vez tomó el de Fernando y estaba más sucio que un trapo para sacudir el polvo. Lo bueno era que los suéteres de las niñas eran distintos, si no ya se hubiera puesto el de Carolina, que siempre olía muy rico.

—A ver, quítate el suéter, vamos a revisar de quién es —dijo Laura Núñez.

Rodrigo se lo quitó y se lo dio a su mamá. Ella lo examinó con mucho cuidado porque en la escuela todos los suéteres tenían el nombre de los niños escrito en el cuello.

—Mmmmmmm.

—¿Qué? —preguntaron Rodrigo y Antonio al mismo tiempo.

—Esto está muy raro.

—¿Qué tiene de raro? ¿Otra vez es el de Martín? —preguntó Rodrigo.

—No, lo raro es que aquí dice tu nombre.

—¡Te dije que era mi suéter, mamá!

Y era cierto, ahí decía muy claramente y con letras grandes: RODRIGO GARCÍA NÚÑEZ.

—¿Entonces ya nos podemos ir, Lau? —preguntó papá, que no dejaba de ver el reloj.

—Qué raro, ese suéter lo compramos de tu talla.

—Te espero afuera, hijo —dijo Antonio y salió de casa a toda prisa.

Laura se quedó pensando en el asunto durante un momento y después le regresó el suéter a Rodrigo. El niño se lo puso rapidísimo, le dio otro beso a su mamá, tomó la mochila y se fue con su papá directito a la escuela.

El resto del día pasó de lo más normal. Rodrigo jugó futbol en el recreo y metió un golazo cuando la campana estaba a punto de sonar. Luego, a la mitad de la clase de Ciencias Naturales, le dio un ataque de risa cuando vio el dibujo que Ilse había hecho de un mamífero. Según ella había dibujado un camello, pero su dibujo parecía más bien como una vaca, un perro callejero o un extraterrestre. Primero Ilse se enojó con Rodrigo, pero después también se rio y casi los sacan del salón. Lo bueno fue que a la maestra también le dio risa el camello extraterrestre.

Cuando Rodrigo regresó a casa en la tarde, todo el asunto del suéter parecía olvidado; su mamá no le preguntó nada y hasta hizo arroz con leche para el postre. Después de comer, Rodrigo hizo casi toda la tarea y salió a jugar a la calle con Gerardo. Cuando llegó papá, cenaron los tres juntos y luego jugaron damas chinas. Laura ganó y todos se fueron a dormir.

Esa noche Rodrigo tuvo uno de los sueños más extraños de todos. Fue más o menos así: el estaba en una nave espacial, pero en lugar de tener puesto un traje de astronauta tenía su piyama favorita. En la nave espacial había unos controles a los que no les entendía nada, eran muchos botones y palancas con formas distintas; había una palanca con forma de cono de helado y un botón grande y rojo que parecía un huevo de chocolate. También había un dibujo de un camello que parecía extraterrestre. Tal vez lo mejor era que Rodrigo estaba flotando en la nave. Flotar se sentía muy bien, era como cuando estás nadando en la alberca y parece que tu cuerpo no pesa nada, como si fueras pez, pero en el aire. Rodrigo dio vueltas y vueltas en el aire y flotó de un lugar a otro en el interior de la pequeña nave espacial. Y entonces se le ocurrió asomarse por la ventanita y desde ahí observó la cosa más espectacular que hubiera visto en su vida. Era el planeta Tierra. Era igual a como la había visto en la tele y en los libros: era una pequeña canica azul y redonda en medio de la inmensa oscuridad del universo. ¡Estaba lejísimos!

¿Cómo era posible que en algo tan pequeño hubiera tantas cosas? En ese momento a Rodrigo le dio miedo, se dio cuenta de que estaba allá arriba completamente solo y no importaba qué tan fuerte gritara, nadie lo iba a escuchar...

Piiiiip, piiiiip, piiiiip, piiiiip. A las siete de la mañana el despertador sonó y Rodrigo aterrizó de vuelta en su cama. Se bajó de un brinco para ver si podía flotar, pero se tropezó y tiró una lamparita que por suerte no se rompió. Se sintió aliviado de estar en su casa y no en el espacio, en medio de la nada.

Como todos los días, Rodrigo se metió a bañar y cantó en la regadera. Su mamá tocó la puerta del baño y gritó:

—¡Rodrigooooo, se te hace tarde para la escuela, ya ven a desayunar!

Salió del baño, se vistió rápidamente, tomó sus cosas de la escuela y fue directo a la cocina. Esa mañana olía a pan tostado y a huevos estrellados. Su papá Antonio se acabó el café y se despidió de Laura. Después, Rodrigo le dio un beso grande en el cachete a su mamá, ella lo abrazó, le acomodó el pelo (¡siempre le acomodaba el pelo!) y luego el suéter. Y entonces Laura Núñez se quedó petrificada:

—Rodrigo...

—¿Qué?

—¿Estás seguro de que éste es tu suéter?

—Sí, sí es mi suéter, ni siquiera lo saqué del salón a la hora del recreo, mamá. Lo dejé guardado en la mochila todo el día.

Laura miró el suéter muy seriamente. Después observó a Rodrigo de arriba abajo, como si hubiera algo que no estuviera bien.

—Si no salimos en cinco minutos vamos a llegar tarde —dijo Antonio, que ya había empezado a ver su reloj.

Sin embargo, para Laura ya no era importante si llegaban tarde o temprano a la escuela; había un gran misterio que tenía que resolver y no iba a dejar pasar más tiempo.

—Mmmmmmmmmm.

—¿Qué pasa?

—Sí, ¿qué pasa, Laura? —preguntó Antonio.

—Mmmmmmmmmm.

—Mamá, ya dime algo.

—Ven acá —dijo Laura.

Rodrigo se acercó a su mamá.

—Estira los brazos.

Rodrigo estiró los brazos y descubrió algo increíble: el suéter le quedaba más grande que ayer.

—¿Y estás seguro que éstos son tus pantalones?

—¡Claro que son mis pantalones, mamá!

¿Qué pensaba Laura? ¿Que se había puesto los pantalones de alguien más? ¡Eso era ridículo! Pero Rodrigo bajó la vista lentamente y se dio cuenta de que los pantalones le quedaban nadando. Era como si de verdad tuviera los pantalones de alguien más. Y no sólo eso, parecía que los zapatos también se le veían más grandes y ¡los calcetines se le bajaban hasta los tobillos! ¡Y la camisa le quedaba floja! ¡Y los zapatos!

—Esto está muy, pero muy raro —dijo Laura.

Por primera vez en mucho tiempo, Antonio dejó de ponerle atención al reloj y se acercó hacia donde estaba su hijo. También lo vio de arriba abajo.

—Yo lo veo normal —agregó Antonio.

—Pero es que la ropa le quedaba bien hace unos días, yo se la compré —dijo Laura.

Rodrigo no sabía qué pensar, él ni se había dado cuenta de que la ropa y los zapatos le quedaban más grandes. Bueno, sí recordaba que cuando estaba jugando futbol en la escuela, cada vez que pateaba la pelota con fuerza, el zapato se le salía volando. Pero eso era normal. Más o menos.

—¿Qué vamos a hacer? —preguntó papá.

Lo que nadie de la familia García Núñez dijo (aunque de seguro lo pensaron) es que había dos posibilidades: o la ropa de Rodrigo se había hecho más grande o Rodrigo se había hecho más chico.

—¿No voy a ir a la escuela? —preguntó Rodrigo.

—¿Te sientes enfermo?

No, Rodrigo no se sentía enfermo, en realidad, se sentía muy bien. Es más, ¡hasta tenía ganas de ir a la escuela! Entonces mamá tuvo una idea y los tres García Núñez fueron hasta la recámara de Rodrigo. Laura sacó casi toda la ropa de su hijo. Puso los tenis y los zapatos, los calcetines, los calzones, las playeras y los pantalones sobre la cama.

—A ver, ponte esta playera.

Rodrigo se puso una playera roja que le acababa de comprar su mamá y ¡también le quedaba un poco grande! Rodrigo no entendía lo que pasaba y su cabeza estaba llena de preguntas. ¿Su ropa estaba creciendo más rápido que él? ¿Alguien había lanzado un rayo agrandador de ropa hacia su casa?

—¡Ya sé! Hay que medir a Rodrigo en la pared de siempre —propuso papá.

Y era una idea magnífica.

En una de las paredes de la casa, la que estaba junto a la cocina, Antonio había ido pintando rayitas con un lápiz para medir a su hijo. La pared estaba llena de líneas, desde que Rodrigo tenía tres años hasta ahora, que era uno de los niños más altos de su salón.

Antonio hizo que Rodrigo se recargara contra la pared, tomó una regla y un lápiz e hizo una línea recta con mucho cuidado.

Cuando terminó, los tres la miraron fijamente.

Se hizo un silencio tremendo, como cuando juegas a las escondidillas y no haces ruido para que no te descubran, o como cuando es de noche y parece que todo está muy quieto, aunque lo grillos estén haciendo un escándalo. De acuerdo con los cálculos, Rodrigo medía 3.7 centímetros menos.

—¿Me estoy encogiendo?

Laura y Antonio no supieron qué responderle.

NO HAY MEDICINAS PARA TODO

En el mundo y en el universo existen muchas cosas que se encogen. Por ejemplo, algunos suéteres y algunos pantalones luego de lavarse; también los caracoles se encogen para esconderse en sus caparazones. En el cielo hay estrellas que se hacen más pequeñas hasta que desaparecen, y si miras de cerca a las lagartijas verás que son como dinosaurios que se hicieron chiquitos.

Sin embargo, que un niño se haga más pequeño es algo que no se puede entender; por lo general, los niños crecen y se hacen cada vez más grandes. Lo que estaba pasando era algo que la familia García Núñez no podía entender de ninguna forma.

Rodrigo comía bien, hacía ejercicio y casi no se enfermaba, ¿entonces por qué se estaba encogiendo?

Esa misma pregunta se la hicieron numerosos doctores de la ciudad. Durante los días siguientes, Rodrigo se la pasó en consultorios y en salas de espera. Sus papás lo llevaron prácticamente con todos y cada uno de los doctores de la ciudad; eran especialistas que se habían especializado en una especialización muy especial que tenía que ver con niños. Por eso mandaron a Rodrigo a hacerse cientos de análisis muy especiales y específicos. Los exámenes eran muy caros porque después de cada uno de ellos, Laura decía que habían costado un ojo de la cara. Aunque todos los ojos de la familia García Núñez permanecieron en su lugar, los billetes que había ganado el papá de Rodrigo se encogieron en cuestión de semanas. Pero eso no era nada en comparación con lo que Rodrigo García Núñez tuvo que pasar.

En la sala de espera de un consultorio, una enfermera que se llamaba Rosita, y que olía a jabón rosa, lo llevó a un cuarto pequeño y oscuro y le pidió que se subiera a una báscula. Además de Rosita entró otra enfermera que se llamaba Lupita y que olía un poco como a plátano. Entre las dos lo midieron, revisaron su presión y le tomaron la temperatura. Acomodaron frente a él, en una charolita plateada, cinco tipos de agujas y jeringas diferentes. Rosita le amarró una liga en el brazo, le dio dos golpecitos a la jeringa y, con su olor a rosas, le dijo a Rodrigo:

—No te preocupes, esto no va a doler.

¡Pero era mentira! El primer piquete dolió un poquito, pero sí que dolió. Le sacaron sangre, después le sacaron más sangre, luego un poco más, ¡Era tanta como para darle de desayunar a un vampiro pequeño! También le tomaron radiografías de todo el cuerpo; estuvo parado durante horas mientras tomaban fotos de sus huesos desde diferentes ángulos. Además, tuvo que hacer pipí en botecitos de plástico e ir al laboratorio sin haber desayunado; pusieron su saliva y su sangre bajo un potente microscopio y le hicieron tomar medicinas de todo tipo. Hasta tomó medicinas para que otras medicinas que había tomado no le hicieran daño.

Lo que Rodrigo no podía creer era que, después de todos esos exámenes y piquetes, ningún médico le hubiera preguntado cómo se sentía. Creían que podían saber todo de Rodrigo sólo por estudiar su pipí y las cosas que había en su sangre.

Después de varios días de laboratorios, especialistas especializados, medicinas, piquetes, ojos de la cara y preocupaciones, Laura, Antonio y Rodrigo García Núñez seguían sin saber por qué el niño se estaba encogiendo.

Finalmente fueron con el doctor León Ibarra, que conocía a Rodrigo desde que nació.

Al principio, el doctor Ibarra se rio porque pensó que era una broma.

—¡Jajajaja! ¡Un niño que se encoge!

Pero cuando vio las caras de Rodrigo, de Laura y de Antonio, poco a poco se fue dando cuenta de que se trataba de algo serio.

—Mmmmmmm —dijo Ibarra entonces.

El médico se ajustó los lentes y examinó a Rodrigo con mucha atención. En todos sus años como doctor, Ibarra había visto a cientos y cientos de niños, pero nunca había tenido un caso como ése. Rodrigo se sentó en una cama que le quedaba muy alta y tuvo que subirse con un banquito. El doctor Ibarra le pegó en las rodillas con un martillo y Rodrigo casi le da una patada. Después escuchó su corazón, le pidió que abriera la boca lo más grande que pudiera, le puso una luz en la oreja y le dio unos golpecitos en la panza. El doctor Ibarra olía a viejito, como el abuelo Peyo o el tío Martín.

—¿Te duele aquí?

—Sólo si alguien me pega —contestó Rodrigo.

—Mmmmmm.

Laura Núñez estaba más que nerviosa y no dejaba de jugar con sus pulseras. Ni ella ni Antonio querían que Rodrigo tuviera algo malo.

—¿Has sentido alguna molestia últimamente?

—Sí —respondió Rodrigo.

—¿Qué? —preguntó Ibarra.

—Me molesta que me saquen sangre y que me hagan análisis como si fuera un extraterrestre.

—¿Y además de eso? ¿Sientes algo raro?

—Siento raro de que cuando regrese a la escuela se den cuenta de que me estoy haciendo chiquito.

Y era cierto, Rodrigo no se sentiría bien de que todo mundo lo estuviera viendo sólo porque se estaba encogiendo.

—Pero ¿has sentido algo raro en el cuerpo?

—No, nada raro.

Ibarra se ajustó los lentes otra vez y comenzó a hacer muchas anotaciones en su libreta. Tenía las manos grandes y arrugadas, como cuando te quedas mucho tiempo en la alberca.

"Tal vez todos los viejitos usan el mismo jabón y por eso huelen así", pensó Rodrigo e intentó acordarse del jabón de su abuelo, pero no pudo.

Para Rodrigo, León Ibarra era el mejor doctor de la ciudad.

Casi todos los niños iban con él porque siempre los curaba y porque tenía paletas de dulce de diferentes sabores. Rodrigo había ido con muchos doctores, pero sólo Ibarra tenía muchos juguetes, aunque no estaba seguro si le gustaba prestarlos.

—Tengo una última pregunta y es la más importante de todas —dijo Ibarra.

Antonio y Laura pusieron mucha atención.

—¿Te sientes bien, Rodrigo?

Rodrigo no tuvo que pensar su respuesta ni un segundo: se sentía súper bien.

—Bueno, pues en ese caso, eso sería todo. Ya pueden irse a su casa y Rodrigo ya puede regresar a la escuela —declaró Ibarra.

—Pero ¿qué tiene Rodrigo? —preguntó Laura.

—¿Por qué se está encogiendo? —preguntó también Antonio.

—Pues no lo sé, pero lo que puedo asegurarles es que Rodrigo no está enfermo. Y eso es lo más importante de todo, que se sienta bien. Es un niño muy listo y muy sano. Creo que lo único que podemos hacer es esperar unos días para ver cómo sigue.

Cuando escuchó esto, Rodrigo García Núñez sintió un gran alivio.

Por un momento había imaginado que pasaría el resto de su vida en doctores y hospitales, con inyecciones, enfermeras, horrorosas medicinas y haciendo pipí en botecitos de plástico.

—¿Y tenemos que darle alguna medicina? —preguntó Laura.

—Creo que no existen medicinas para esto —respondió Ibarra.

Para Antonio y Laura saber que su hijo estaba bien era una maravillosa noticia, pero les hubiera gustado que alguien pudiera explicarles por qué se estaba encogiendo.

PREGUNTAS SIN RESPUESTA

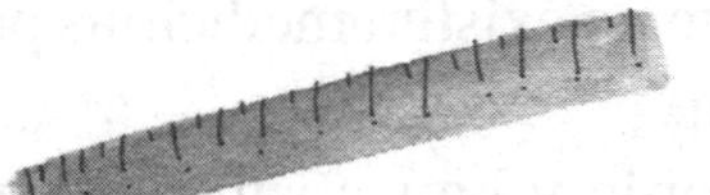

Muchas veces las personas quieren una explicación para todo, que alguien les explique por qué se descompuso el coche o por qué la luna es redonda y no cuadrada, o por qué el planeta Tierra está flotando en medio del universo, pero hay preguntas que no tienen respuesta, y también hay otras que tardan mucho tiempo en contestarse, a veces días, a veces años, a veces miles de años.

Lo que sí podemos decir es que antes de que comenzara a encogerse, su mamá regalaba la ropa que ya no le quedaba; se la daba a sus primos más chicos. Pero ahora los primos más chicos le tenían que regalar ropa y zapatos a Rodrigo. Y es que, en apenas unas semanas, el niño se había encogido casi quince centímetros.

Si piensas en el tamaño de un árbol, quince centímetros es muy poco, cualquier ramita mide más que eso. Pero si piensas en una hormiga, quince centímetros es muchísimo. Para una hormiga, un ratón de quince centímetros es un gigante. Y para un niño, quince centímetros es la diferencia entre ir en cuarto o en primero de primaria. Quince centímetros es la diferencia entre poder subirse de un brinco al pasamanos o tener que treparse como chango por el tubo para alcanzarlo. Con quince centímetros menos es más difícil alcanzar los pedales de la bicicleta, también es más difícil llegar a los cajones altos de la cocina. Entonces, si te haces quince centímetros más chico, todo mundo se dará cuenta de que te estás encogiendo. Y eso fue exactamente lo que le pasó a Rodrigo en la escuela.

De un día para otro todos sabían que se estaba haciendo más chico, era obvio. Sus pies ya no tocaban el piso cuando se sentaba y en la fila que hacían en el patio comenzó a pasar de los lugares del final hasta casi adelante de María José. Pero ninguno de sus compañeros se atrevía a preguntarle nada. Ni siquiera las maestras. Ni siquiera los más chismosos.

Un día, en el recreo, Rodrigo estaba jugando básquetbol con los de su salón.

—¡Aquí, aquí! ¡Pásenla! —gritó.

Pero nadie se la pasó. Y entonces pidió la pelota una vez más y luego otra y otra; sin embargo, era como si no existiera, como si Armando, José, María y los demás niños no le estuvieran poniendo atención. Como si además de hacerse chiquito, Rodrigo también se estuviera haciendo transparente, invisible. Y eso no lo podía permitir porque una cosa es encogerse y otra es que te ignoren.

Rodrigo se paró en medio de la cancha, abrió los brazos y gritó con todas sus fuerzas:

—¡¿Por qué no me la pasan?! ¡¿Porque estoy más chiquito?! ¡Aunque esté más chiquito tengo muy buena puntería!

Los que estaban jugando se quedaron parados y con el ojo cuadrado. Rodrigo le arrebató el balón a Gonzalo, se acercó hasta la canasta y tiró. La pelota entró justo por el centro del aro.

—¡Ya ven, puedo jugar!

Rodrigo observó a su alrededor y notó que Úrsula, Alonso y Mauricio se estaban diciendo secretos al oído. Y seguro que eran sobre él. Cuando iba por el pasillo, se daba cuenta de que los niños decían su nombre y, en el salón, a veces pasaban recaditos en un pedazo de papel y nunca se los enseñaban a él. ¿Cómo era posible que nadie le hubiera preguntado nada sobre lo que le estaba pasando? ¿Acaso les daba pena preguntar?

Alrededor de la cancha de básquetbol se hizo una bolita de curiosos que querían ver. Rodrigo pensó que ése era el momento de dejar las cosas claras de una buena vez y entonces tuvo una gran idea. Volteó uno de los botes de basura que había en el patio y empezó a pegarle con el palo de una escoba. Sonaba como un gran tambor.

Boooong, boooooooong, booooooooooooooooooong...

Después, Rodrigo se subió de un brinco al bote y gritó lo más fuerte que pudo:

—¡Escúchenme todos!

Aunque era la hora del recreo y la mayoría de los niños estaba gritando, la noticia se extendió por el patio tan rápido como cuando alguien tira leche con chocolate sobre la mesa.

Muy pronto un círculo se había formado alrededor de Rodrigo.

—¡Quiero decir algo!

El resto de la escuela se fue aproximando poco a poco. Úrsula estaba ahí, también el niño de segundo con pecas, Bernardo, el molestón de sexto. También estaban Mónica, Fer y Ramiro. Los gemelos de primero B y el niño que una vez aventó su lonchera a la calle.

Rodrigo nunca había hablado frente a tanta gente y estaba un poco nervioso, pero tomó aire y dijo:

—Ya sé que se dieron cuenta de que me estoy haciendo chiquito. Pero quiero decirles que eso no tiene nada de malo y sigo siendo el mismo Rodrigo de siempre. No quiero que me vean raro porque yo no los veo raro a ustedes.

Se hizo un silencio en el patio, nadie sabía qué decir, sólo se escuchaba cuando Martín masticaba sus papitas con chile. *Cronch, cronch, cronch.*

—¿Alguien quiere hacerme una pregunta? Pregúntenme lo que quieran —dijo Rodrigo.

Eugenio alzó la mano.

—¿Si te sigues haciendo chiquito vas a cambiarte a preescolar?

—Claro que no, sólo me estoy haciendo más chiquito de tamaño, no de edad —respondió Rodrigo.

Entonces su amiga Malú alzó la mano.

—¿Es cierto que te estás haciendo chiquito porque no comes verduras?

—No es cierto. A mí me gustan las verduras, las frutas y hasta el hígado encebollado.

—¡Ooooooooooooh! —se escuchó en la parte de atrás del grupo.

Poco a poco más manos se fueron alzando.

Al parecer, la mayoría de los niños tenía una pregunta para Rodrigo.

—¿Te estás convirtiendo en un duende? —le preguntó Carlos.

—Nooo, no me estoy convirtiendo en un duende, Carlos.

Entonces Marcela, una niña que siempre se peinaba de coletas, alzó la mano.

—Rodrigo, ¿entonces por qué te estás haciendo más chiquito?

Era una excelente pregunta, aunque Rodrigo no tenía la respuesta.

—No sé.

Y Cachetes, que siempre tenía ideas muy locas y a veces se dormía debajo de las mochilas, dijo:

—A lo mejor es porque te bañas con agua caliente; por eso se encogen los suéteres.

—Pero yo no soy un suéter, soy Rodrigo.

Y entonces el chimuelo de David Fernández, que la verdad era un presumido de lo peor, dijo:

—Mi familia y yo buscamos en Internet y dice que no existen los niños que se hacen chiquitos.

—Pues Internet y tú dicen mentiras, David, porque yo sí me estoy encogiendo. ¡Mira! —le contestó Rodrigo estirándose lo más que pudo.

¡Y claro que se veía más chico! El presumido de David se quedó callado.

—¿Te estás convirtiendo en un duende? —preguntaron otra vez desde el fondo del patio.

—Ya dije que no me estoy convirtiendo en duende —contestó Rodrigo.

—¿Si te sigues haciendo chiquito vas a poder subirte a los coches de control remoto?

Rodrigo no había pensado en eso, pero sonaba bastante divertido.

—Sí, sí me voy a poder subir a los coches de control remoto, pero sólo si alguien lo puede manejar bien y no lo choca.

—Si te estás convirtiendo en un duende, ¿te gustaría ser mi amigo? —preguntó Paulina.

—Paulina, ya somos amigos. Y no me estoy convirtiendo en duende.

—¿Los duendes pueden volar, Rodrigo? —preguntó Joaquín.

—¡Ya no voy a contestar preguntas de duendes! —gritó Rodrigo.

Entonces sonó el ruido más feo de todos los ruidos que hay en la escuela, más feo que cuando el gis rechina en el pizarrón, más feo que cuando alguien se cae y se pone a llorar: *Riiiiiiiiiiiiiiiiiiiiiiiiiiiing*.

Era la campana. Y aunque había terminado el recreo nadie quería regresar a clases porque todavía había muchas preguntas para Rodrigo y él quería contestarlas todas. Las preguntas caían una tras otra, como gotas de lluvia en un aguacero.

—¿Después de que te encojas te vas a hacer grande otra vez?

—No sé —respondió Rodrigo.

Como nadie se había formado para subir a los salones, en menos de un minuto la maestra Blanquita se acercó hasta donde estaban reunidos. La maestra era medio regañona.

—¿Me podrían decir qué es lo que está pasando aquí? ¿Alguien me puede explicar este desorden?

Nadie respondió, pero Armando corrió a esconderse al baño porque le daba miedo que lo regañaran.

—Rodrigo García, ¿se puede saber qué estás haciendo parado en el bote de basura?

En ese momento a Rodrigo no le importaba que lo llevaran a la dirección, no le importaba que le pusieran un reporte o que le bajaran puntos en conducta; lo único que quería era dejar las cosas claras para toda la escuela.

—Estoy parado sobre el bote de basura porque estoy respondiendo preguntas. Lo que pasa es que me estoy encogiendo y no me gusta que los niños digan cosas de mí que no son ciertas. Y tampoco me gusta que me vean raro.

La maestra Blanquita arrugó la frente, miró su reloj y dijo:

—Está bien, pueden hacerle tres preguntas más a Rodrigo antes de regresar a sus clases.

Ramiro alzó la mano:

—¿Cómo te sientes?

—Muy bien. Me siento más chiquito, pero muy bien —respondió el niño.

—¿Qué prefieres, las paletas heladas de limón o las de frambuesa? —dijo Carlita.

—Las de limón. Y también me gustan mucho las donas de chocolate y mi comida favorita es el espagueti —contestó Rodrigo.

—¿No te importa hacerte chiquito? —preguntó Marcela.

—No.

Esa tarde algunas de las preguntas quedaron sin respuestas, pero a partir de ese momento ya nadie vio a Rodrigo como si fuera un extraterrestre, y si alguien quería preguntarle algo se lo podía preguntar, siempre y cuando la pregunta no tuviera nada que ver con los duendes.

Esa noche, cuando Rodrigo estaba solo en su cuarto y con las luces apagadas, se quedó con los ojos abiertos y vio el techo durante un buen rato. Alcanzaba a oír a sus papás que platicaban en la sala mientras escuchaban música. Afuera se oían los grillos y el ladrido del perro de un vecino. A diferencia de otras noches, Rodrigo no pensaba en la tarea que no había terminado para el día siguiente, ni en cómo le haría para meter un gol de portería a portería cuando los del otro equipo estuvieran distraídos. No. Después de haber respondido todas esas preguntas en el patio de recreo se dio cuenta que él mismo estaba lleno de preguntas.

De verdad no comprendía por qué se estaba encogiendo. Por qué entre todos los niños de la escuela, entre todos los niños de la ciudad y a lo mejor entre todos los niños del mundo, precisamente era él quien se estaba haciendo chiquito. "¿Por qué me está pasando esto a mí? Me como todas mis verduras, no soy grosero y me lavo los dientes, hago la cama en las mañanas y casi siempre obedezco a mis papás."

Pensó que a lo mejor se estaba encogiendo porque se había portado mal, y se acordó de un día en el que no le regresó todo el cambio a su mamá y se compró unos dulces que se comió él solito.

Por otro lado, María hacía lo mismo todos los días y no se estaba encogiendo. "A lo mejor me estoy encogiendo porque soy un ser especial, y en unos años todos los niños del mundo se van a encoger como yo y me van a tener que preguntar cómo le hice. O a lo mejor me estoy encogiendo porque en unos meses voy a empezar a crecer, crecer y crecer sin control y me convertiré en un gigante y ni siquiera voy a caber en mi cuarto, ni en esta casa, ni en la escuela."

Poco a poco, Rodrigo cayó dormido y sus preguntas se quedaron sin responder.

ALGUNAS COSAS BUENAS Y ALGUNAS COSAS MALAS DE ENCOGERSE

En tan sólo algunas semanas la vida de Rodrigo García Núñez había cambiado por completo. Ahora para bajarse de la cama tenía que dar un buen brinco, y si quería lavarse las manos y los dientes se subía a un banquito que su papá había puesto frente al lavabo. Esto era algo que le gustaba de encogerse, que tenía que treparse a todas partes como si fuera un mono o un cirquero. A Rodrigo le divertía subirse al sillón de la sala y aventarse con todas sus fuerzas hacia los cojines. Era como si tuviera una alberca de cojines en casa. También le gustaba subirse como un chango por los muebles de la cocina para llegar al lugar en el que guardaban las galletas con chispas de chocolate. A veces, salía en calzones con un plátano en la mano y gritaba como si fuera Tarzán.

—¡AAAAAAaaaaaaaAAAAaaaaa!

Y aunque Laura García no estaba muy contenta con que su hijo se estuviera subiendo a todos los muebles de la casa en calzones, en el fondo no podía regañarlo ni decirle nada. Después de todo, Rodrigo tenía que acomodarse a su nuevo tamaño, además era verano y hacía mucho calor.

Pero no todo era risas y diversión, claro que no. Por ejemplo, en el patio del colegio, Rodrigo ya no podía correr como antes, ahora le daba miedo que uno de los de sexto pasara muy cerca de él y que sin querer lo aplastara.

Rodrigo tampoco se sentía cómodo jugando futbol con sus amigos. Primero porque ya no podía darle el mismo efecto con el pie a la pelota, y segundo porque no quería que le dieran un balonazo que lo sacara volando. Lo mismo le pasaba en el básquetbol y el vólibol, así que tenía que contentarse con jugar a las escondidillas porque con su nuevo tamaño podía esconderse en casi cualquier rincón y siempre ganaba.

Había otra cosa que no le gustaba de encogerse y era que todas las maestras de la escuela le ponían demasiada atención. Y cuando digo *demasiada* quiero decir *demasiada atención*.

—Rodrigo, no te subas ahí, es peligroso —le decía la maestra Maricarmen cuando quería treparse al mueble en donde estaban los colores.

—Rodrigo, ¿quieres que te acompañe hasta tu salón? —preguntaba la maestra Romina.

—Rodrigo, ¿sí entiendes la tarea?

—Rodrigo, ¿quieres que me lleve tu mochila?

—Rodrigo, no te vayas a caer.

—Rodrigo, ¿tienes hambre?

—Rodrigo, ¿te están molestando tus compañeros?

—Rodrigo, ¿te sientes bien?

Rodrigo estaba harto de tantas preguntas. ¡Ya lo había explicado con pelos y señales en frente de todo el colegio! Estaba perfectamente bien: ni se había vuelto más tonto ni necesitaba ayuda para abrocharse las agujetas, ponerse el suéter o lavarse las manos. No era un niño chiquito, bueno, sí, pero sólo de tamaño. Y si algún día necesitaba ayuda o quería algo, él solito podía pedirlo. Era el mismo de siempre sólo que estaba encogiéndose. ¿Por qué los adultos y la gente de la escuela no podían entender algo tan simple como eso?

Un día en el recreo, Rodrigo se sentó en una banca al lado de Paulina, que le regaló una mordidita de su paleta helada.

En el patio, un grupo de niños estaba jugando fut. Mientras saboreaba la paleta, Rodrigo pensó en las ganas que tenía de meterle un gol a Martín, y se le ocurrió que podía proponerles a sus amigos jugar con una pelota de tenis en lugar de con un balón grande. ¡Entonces verían que seguía siendo uno de los mejores del equipo!

En el patio, Marcos le pasó el balón a Daniel y Daniel se lo pasó a Carlos y Teresita se lo quitó a Carlos. Teresita era la mejor defensa del salón.

—¡Tira! ¡Tiraaaaaaaaaa! —gritó Lolo.

En ese momento se escuchó un patadón y Rodrigo y Paulina vieron el balón salir volando por los aires. Lo vieron subir y subir y la vieron bajar y bajar hasta que cayó detrás de la barda de la escuela.

—¡Nooooooooooo! —gritó Malú.

—¡Lo volaste, Gerardo!

—¡Me lo trajeron los Reyes! —chilló Martín.

Gerardo se sentía pésimo. Como un bicho chiquito, chiquito, muy chiquito. Nadie quiere volar el balón de fut en pleno partido.

—Voy a brincarme por él —dijo Gerardo.

—¿Estás operado de la cabeza? Dicen que el terreno de junto está embrujado —advirtió Raúl.

—Claro que no, son sólo inventos —agregó Laila.

Gerardo ya estaba decidido a recuperar el balón y Mauricio le hizo pie de ladrón. Después de muchos esfuerzos, Gerardo pudo sentarse en lo alto de la barda. Miró hacia el terreno baldío: el pasto estaba tan crecido que no se alcanzaba a ver nada de nada. Quizá saltarse no era tan buena idea, así que preguntó:

—¿Y cómo le voy a hacer para regresar?

Era una muy buena pregunta. Siempre que alguien salta una barda tiene que saber cómo le va a hacer para regresar.

La voz decidida de Rodrigo llamó la atención de los curiosos.

—Yo te ayudo a regresar.

Obviamente sus compañeros lo voltearon a ver con cara de "¿Estás mal de la cabezota, Rodrigo? ¿Te falta un tornillo?". Y Laila, que era una niña muy burlona, se rio de la propuesta. ¿Cómo alguien tan chiquito como Rodrigo le podría a ayudar a Gerardo a brincarse una barda?

Lo que no sabían era que Rodrigo se había convertido en uno de los mejores trepadores de la ciudad. Dando un saltito y después otro, se subió a un árbol y desde una rama brincó a la barda como si fuera un chango. En menos de un minuto ya estaba sentado al lado de Gerardo mientras los demás lo veían asombrados.

—¿Ves el balón? —le preguntó Gerardo.

Rodrigo recorrió el terreno baldío con la mirada, pero sólo pudo ver el pasto y las hierbas.

—No, no lo veo.

Desde abajo una voz llamó su atención:

—Oigan, no pueden quedarse ahí todo el recreo. Los pueden cachar, eh —dijo Julián.

—¿Entones vas a saltar o no, Gerardo? —preguntó Teresita.

Rodrigo volteó a ver a Gerardo; se notaba que estaba nervioso.

Desde que los dos iban en esa escuela nadie se había saltado por un balón. Y claro, tampoco nadie se había encogido.

—¿Si me brinco tú me puedes ayudar a regresar? —preguntó Gerardo.

Rodrigo le respondió que sí, pero lo que no le dijo fue que no había pensado cómo podría hacerlo, después de todo él era muy bueno para trepar solito, pero Gerardo era un grandulón y de ninguna manera podía cargarlo.

Estas ideas cruzaron demasiado tarde por la cabeza de Rodrigo porque Gerardo tomó una gran bocanada de aire y, sin pensarlo dos veces, saltó hacia el terreno baldío. Lo que pasó en ese momento dejó a Rodrigo con la boca abierta y hubiera dejado a cualquiera con la boca abierta porque al instante de caer, Gerardo desapareció entre el pasto, como si se lo hubiera tragado la tierra.

UN RESCATE INESPERADO

—¡Geeeeeraaaas! —gritó Rodrigo, pero no recibió respuesta, sólo se movían los pastos más largos de aquí para allá como empujados por el viento.

Del otro lado, en el patio de la escuela, ya se había hecho una bolita de niños que morían de curiosidad.

—¿Qué pasó? —preguntó Esteban ansioso.

—No sé. Ya no lo veo. Brincó y desapareció —respondió Rodrigo impresionado.

—¿Quééé? —dijeron al mismo tiempo dos niños.

—Yo creo que se lo comió la tierra —dijo Rodrigo.

Se hizo un silencio espeso entre los amigos.

—Es una broma —dijo Julián.

—¡Claro que no es una broma! ¡Geraaaaardoooo! —gritó Rodrigo con todas sus fuerzas.

Y, de pronto, surgió un sonido. Primero muy quedito y después un poco más fuerte.

Rodrigo paró la oreja para escucharlo mejor.

—¡Ay!

—¿Geranio? —así le decía Rodrigo de cariño a su amigo.

—¡Auch!

—¿Estás bien?

—¡Ayyyyy!

Rodrigo quería bajar para buscarlo, pero si lo hacía podía pasarle lo mismo. Tenía que pensar muy bien antes de tomar una decisión.

—Ayyyy, auch, auch...

—¿Qué te pasó? —le preguntó Rodrigo.

—Ayyyy, me caí en un hoyo y me pegué en la pierna —respondió Gerardo.

Como el pasto estaba tan alto, Gerardo no vio que había brincado justo en un agujero, el cual llevaba años ahí y lo habían hecho para construir una casa, y ahora Gerardo había tenido la mala suerte de caer dentro y quedar atrapado sin poder salir.

—¿Encontraron el balón? —preguntó Teresita, pero Paulina le dio un pellizco para que se callara, pues eso no era lo más importante en ese momento.

—¿Puedes salir de ahí?

Rodrigo esperó la respuesta de su amigo Gerardo.

—Ayyyy, no, no puedo mover la pierna. Me duele mucho.

Rodrigo miró a su alrededor. No quería que ninguna de las maestras de la escuela lo descubriera sentado en esa barda tan alta, pues lo castigarían a él y de paso a Gerardo. Observó de manera panorámica y en ese momento tuvo una idea genial. O a lo mejor era una mala idea, pero era la única que tenía y siempre es mejor tener una que no tener ninguna. Rodrigo pidió a los dos equipos de futbol que se quitaran los suéteres del colegio y que los amarraran todos juntos. Y aunque lo vieron como si estuviera loco, Julián le hizo caso y se quitó el suéter, y también Mauricio, y después se animó Teresita, y hasta Martín puso el suyo. Por instrucciones de Rodrigo amarraron una manga con otra y poco a poco hicieron una cuerda de suéteres muy larga.

—¡Amárrenlos lo más fuerte que puedan! —pidió Rodrigo.

—Yo no quiero amarrar el mío. Si se me hace grande mi mamá me va a regañar. Además, no es mi culpa que Gerardo haya volado el balón —dijo Gabi.

Pero esto no les importó a los demás, ya sabían que Gabi sólo pensaba en ella misma y por eso siguieron con su tarea. Cuando todos los suéteres estaban bien amarrados, Julián le aventó la cuerda a Rodrigo. Y entonces, de un salto, el niño se trepó a la rama del árbol y amarró una de las puntas de la cuerda de suéteres. Después se amarró el otro extremo en la cintura.

—¡Ayúdenme a salir! ¡Creo que me rompí una pierna! —gritó el pobre de Gerardo.

Rodrigo descendió amarrado por los suéteres como un verdadero profesional. Cuando llegó al otro lado de la barda movió los pastos más altos y alcanzó a ver el hoyo. No era muy profundo para un adulto, pero sí para un niño como Gerardo.

—¡Rodrigo, ayúdame a salir, por favor! Me lastimé la pierna.

—No te preocupes, Geranio, te voy a sacar de ahí.

Rodrigo arrancó con las manos todo el pasto que pudo para dejar descubierto el hoyo, era muy estrecho y ningún adulto hubiera cabido por ahí. Rodrigo verificó que estaba bien amarrado por la cintura y a la rama del árbol y comenzó a bajar.

Lo que ninguno de los dos niños sabía era que la chismosa de Gabi ya había corrido directito a la Dirección para decirle a la maestra Margarita que Rodrigo y Gerardo se habían saltado la barda de la escuela y que Gerardo se había lastimado una pierna y que ella les había dicho que estaba mal y que no le habían hecho caso y que los demás niños habían arruinado sus suéteres. En ese momento la maestra dio un gritito de susto ("¡Ay Dios!") y llamó a una ambulancia para después salir corriendo hacia el patio. Como tenía puestos unos tacones y una falda muy apretada, se tropezó mientras corría y también se lastimó una pierna.

En el hoyo, Gerardo estaba hecho bolita y sobándose la pierna. Rodrigo le sirvió como bastón y le ayudó a pararse. El suelo estaba húmedo y resbaloso, era como si estuvieran en el interior de una cueva diminuta. Entonces Gerardo se tomó de la cuerda hecha con suéteres y haciendo un gran esfuerzo se fue jalando hacia arriba mientras Rodrigo lo empujaba con todas sus fuerzas. Cuando Gerardo salió del hoyo se acostó en el pasto. Estaba cansadísimo. Después, como si fuera un chango, salió Rodrigo.

—Gracias por rescatarme —dijo Gerardo y le dio un abrazo muy fuerte a Rodrigo, parecía que nunca lo iba a soltar.

En ese instante escucharon la voz de la maestra Lupita del otro lado de la barda.

—¡No se muevan de ahí, escuincles! ¡Ya van por ustedes!

Rodrigo y Gerardo sabían muy bien que les esperaba un buen castigo, primero en la escuela y después en sus casas.

La ambulancia llegó en menos de cinco minutos, pero primero se llevó a la maestra Margarita, por lo que hubo que esperar otra ambulancia para Gerardo.

Sin embargo, antes de que fueran por ellos, Rodrigo se dio cuenta de algo muy importante.

—¡Se nos olvida algo!

Fue corriendo por el balón dando saltitos entre la hierba. Intentó con todas sus fuerzas lanzarlo hacia el otro lado de la barda, pero no pudo.

UN PEQUEÑO GRAN HÉROE

—Miren, es el niño que se está encogiendo y que rescató a su amigo —dijo una señora al verlo pasar en la calle.

—Ese chiquito es muy valiente —decían los de la preparatoria cuando Rodrigo caminaba por el patio.

Sin embargo, la mejor frase de todas la dijo su tía Begoña un día que fue a felicitarlo y a pellizcarle los cachetes de la emoción:

—Es un héroe, un pequeño gran héroe.

Laura y Antonio también estaban muy orgullosos de su hijo. Rodrigo había sido muy hábil y valiente al rescatar a Gerardo. Y aunque su mamá le pidió que la próxima vez que alguien estuviera en problemas le avisara a un adulto, y aunque en la escuela lo regañaron por subirse a la barda sin permiso, en tan sólo unos minutos el enojo había desaparecido como un hielo que ha quedado bajo el sol. Los papás de los demás niños tampoco los regañaron cuando vieron que habían hecho sus suéteres gigantescos de tanto estirarlos. Sus amigos de la escuela también estaban felices, pues gracias a esa aventura se habían perdido la clase de Matemáticas y el recreo se había alargado media hora. Es más, para celebrar, entre todos cargaron a Rodrigo y lo lanzaron por los aires. El único que se molestó un poco fue Martín; decía que nada de eso hubiera pasado si él no hubiera llevado su balón a la escuela ese día. Y tal vez lo más curioso del asunto fue que a Gerardo y a la profesora Margarita les pusieron yeso en la pierna y los dos iban con sus muletas, caminando como piratas.

Aunque Rodrigo seguía encogiéndose día con día, no quería que le compraran unos zancos ni le interesaba parecer más alto de lo que era en verdad. Durante semanas, la familia García Núñez había escuchado un montón de remedios para Rodrigo. Pero eran locuras. Por ejemplo, un señor sugirió que Laura y Antonio tenían que darle de comer a Rodrigo sólo levadura, de ésa que usan para que se infle el pan cuando lo meten al horno, pero Rodrigo no era de harina y ciertamente nadie lo iba a meter a un horno. Alguien más les dijo que todas las noches colgaran a Rodrigo de las manos y de los pies para ver si lo podían estirar un poco. Una tía abuela de Laura le recomendó que no bañara al niño porque a lo mejor se estaba encogiendo con el agua. A Rodrigo le gustó esa idea, pero a Laura no y tuvo que seguir bañándose todos los días. Además, Rodrigo se sentía muy bien, sabía que era un niño especial y también sabía que lo más importante no era su tamaño, sino las cosas que podía hacer ¡y eran muchas!

Un día por la tarde la señora Graciano, que era su vecina, llamó a la puerta de casa. A Laura le dio mucho gusto verla y la invitó a tomar una taza de café.

—Muchas gracias por el cafecito, Laura... Me da mucha pena decirte esto, pero lo he estado pensando y es lo único que se me ocurre.

Laura la miró extrañada.

—Señora Graciano, si podemos hacer algo por usted lo haremos con mucho gusto —dijo Laura.

La señora Graciano bajó la mirada.

—Vine a ver si Rodrigo puede ayudarme.

Rodrigo, que para entonces ya medía lo mismo que una silla chiquita, estaba trepado en uno de los muebles de la sala y al escuchar estas palabras se acercó con mucha curiosidad.

—¿Quiere que yo la ayude? —preguntó incrédulo.

La señora Graciano se alisó los dobleces de la falda con las manos.

—Claro, si tu mamá te da permiso.

La señora Graciano tenía una lavandería a la vuelta de la cuadra y llevaba más de tres días sin poder trabajar. Una de sus lavadoras se había descompuesto y nadie había podido arreglarla. El problema era que tenía una pieza mal puesta en la parte de adentro. Los mecánicos tenían las manos muy gruesas y los brazos muy grandes, y por supuesto que no podían alcanzarla. Además, era una lavadora vieja y si la desarmaban era muy probable que no la pudieran armar otra vez.

—Tal vez —le dijo la señora Graciano a Rodrigo— tú puedas meterte a esa lavadora y arreglar la pieza que está descompuesta.

Laura se acomodó como tres veces en su asiento. No le gustaba la idea de que su hijo se metiera en una lavadora, además Rodrigo no sabía nada de mecánica ni de electricidad ni de lavadoras.

—Por favor, inténtalo, Rodrigo —pidió la señora.

—Mmmmmm —gruñó Laura, pero dejó que su hijo tomara la decisión, después de todo era a él a quien le habían pedido ayuda. Rodrigo no tuvo que pensarlo dos veces y dijo que sí.

La lavadora de la señora Graciano estaba bastante vieja y, aunque la habían pintado de blanco, tenía partes oxidadas por aquí y por allá.

La puertita de la lavadora estaba abierta, Rod jaló un banquito y se metió de un salto.

—¡Ten cuidado, Rodrigo! —dijo Laura.

Rodrigo había visto muchas lavadoras, pero nunca había estado adentro de una. Olía a limpio o, más bien, olía a jabón. Con mucho cuidado, el niño se adentró hasta el fondo. Alcanzó a ver unos cables salidos y ¡ahí estaba la pieza! No estaba descompuesta, sólo se había salido de su lugar.

—¡Creo que ya la encontré! —gritó Rodrigo desde adentro y su voz salió seguida por el eco.

Rodrigo tomó la pieza en su mano derecha, estiró el brazo y la conectó de nuevo.

—¡Listo!

Estaba pensando en que había sido de lo más sencillo del mundo cuando escuchó la voz de la señora Graciano:

—¿Y puedes ver un botón azul?

—¡Sí!

El botón estaba justo frente a él. Sólo tenía que presionarlo y la lavadora funcionaría de nuevo.

—Ten cuidado, no vayas a...

Pero fue demasiado tarde. Rodrigo ya había presionado el botón azul y la lavadora empezó a funcionar. Un chorro de agua le cayó enseguida en la cabeza y, antes de que pudiera decir "sáquenme de aquí", la lavadora giró de un lado para otro mientras hacía sonidos monstruosos. *Chucu, chucu, chucu, güagüara, güara, chuc, chuc, chuc.*

—¡Rápido, desconéctela! —gritó Laura.

La señora Graciano corrió a apagar la lavadora.

Laura intentó pescar a Rodrigo de una pierna para sacarlo de ahí, pero como ya estaba enjabonado se le resbaló por completo. Rodrigo daba vueltas y más vueltas adentro de la lavadora.

—Sá-sá-sá-que-quen-quen-me-me de a-aquí-quí —dijo Rodrigo.

La señora Graciano desconectó la lavadora y Rodrigo salió mareadísimo. La mujer lo cubrió con una toalla mientras su mamá le daba varios miles de millones de besos.

—¿Estás bien, Frijolito? —así le decía Laura de cariño a Rodrigo.

La aventura no había estado nada mal para el niño. Estar en una lavadora era como bañarse y al mismo tiempo subirse a una montaña rusa. Rodrigo salió más limpio que nunca y la señora Graciano estaba tan agradecida con él que les dijo que en esa lavandería podrían lavar toda su ropa gratis y para siempre.

Desde ese día, las visitas a la casa de los García Núñez se hicieron cada vez más frecuentes. Gente que vivía en la cuadra y hasta en otras colonias de la ciudad venía a pedirle algún tipo de ayuda a Rodrigo. Una tarde la abuelita de su amigo Julián le pidió que le ayudara a sacar un anillo que se le había caído debajo del sillón y que no había podido recuperar. Rodrigo lo hizo con mucho gusto, además se llevó una sorpresa, porque debajo del sillón también había un viejo reloj de oro y la abuelita de Julián se lo dio como recompensa. Otro día, su vecina Rosalba llegó muy apurada a casa de los García Núñez buscando a Rodrigo. Se notaba que se moría de vergüenza porque estaba toda roja de la cara. Rosalba había salido a tirar la basura cuando una ráfaga de viento cerró la puerta y lo peor de todo era que no traía las llaves. No, lo peor de todo es que había dejado el desayuno en la estufa y se le iba a quemar. No, lo peor de todo era que estaba en piyama. ¡No! Lo peor de todo era que adentro se había quedado su bebé dormido.

Rodrigo fue corriendo con Rosalba hasta su casa. Por suerte, la ventana del baño se había quedado abierta. Frijolito se trepó enseguida ayudándose de un árbol y, como si fuera un espagueti, se coló por la ventana. Se pescó del tubo de la regadera, se columpió para ganar impulso y saltó a la taza del escusado que, por fortuna, estaba tapada. En menos de cinco minutos ya había abierto la puerta principal. Rosalba le dio un abrazo tan fuerte que casi le saca el aire; estaba muy feliz y ni siquiera se le había quemado el desayuno.

Cuando Rodrigo le contó a su papá la hazaña, Antonio se sintió tan orgulloso de su hijo que hasta se hizo una playera que decía: "Yo soy papá de Frijolito", y la usaba todos los días.

Mientras Rodrigo seguía encogiéndose su fama iba creciendo.

La cumbre de su éxito llegó cuando el mismísimo Gibrán Rotela, capitán de los bomberos, fue a pedirle ayuda.

Los bomberos llevaban varias horas intentando rescatar a un perro que se había atorado en la chimenea de una casa. Como los bomberos eran personas bastante grandes, ninguno cabía por el estrecho tiro de la chimenea y no podían destruirla sólo para sacar al pobre perro.

Rodrigo García Núñez nunca se había subido a un camión de bomberos, así que se puso muy feliz cuando le dieron permiso de sentarse junto al conductor y de encender la sirena.

Cuando llegaron al lugar del percance, Frijolito y Gibrán Rotela subieron por una escalera especial hasta el techo de la casa. Se asomaron al interior de la chimenea y un aire frío les dio en la cara.

Frente a la casa estaban Laura, Antonio, los bomberos y un grupo de curiosos que se habían enterado de que el mismísimo Frijolito estaba en el vecindario. El capitán le puso una cuerda a Rodrigo alrededor de la cintura y lo preparó para que comenzara a bajar. El niño se sentó en el borde de la chimenea y se imaginó que era como la boca oscura de un animal extrañísimo que estaba a punto de devorarlo de un bocado. Y aunque tenía miedo, entró por ahí.

La chimenea estaba llena de hollín, telarañas y ceniza. Rodrigo empezó a toser cuando escuchó algo que llamó su atención. Era un aullido muy quedito.

—¡Aquí está! ¡Lo encontré! —gritó Rodrigo para que detuvieran la cuerda.

Al principio pensó que el perro podría morderlo, pero cuando se acercó le dio un lengüetazo en la mano, como si lo estuviera saludando. Con mucho cuidado para no lastimarlo, Rodrigo le movió la pata que tenía atorada y lo abrazó para que no se cayera.

—¡Ya nos pueden subir! —gritó Rodrigo, y el capitán Rotela y su equipo comenzaron a jalar la cuerda para sacarlos.

El perro era muy pesado y se movía mucho, pero Rodrigo lo sostuvo con todas sus fuerzas y no se distrajo con los lengüetazos que le daba en la cara ni con la voz de los bomberos, quienes le gritaban para darle órdenes.

Cuando Rodrigo salió, la luz del sol lo deslumbró y soltó al perro. No lo había visto bien, pero ahora se daba cuenta de que era un perro orejón y muy bonito que no dejaba de brincar encima de él; movía la cola y ladraba de alegría.

Las personas que observaron todo desde abajo le aplaudieron a Rodrigo.

Ahí estaban sus papás, los bomberos, las filas de curiosos que se habían reunido y también un reportero de la televisión.

A la mañana siguiente, cuando Rodrigo bajó a desayunar dando saltos entre escalón y escalón, encontró —como todas las mañanas— a su papá con la cabeza metida en el periódico, como si esas noticias fueran su desayuno. Cuando Antonio escuchó a Rodrigo entrar a la cocina le enseñó inmediatamente lo que leía.

—¡Mira, eres famoso, hijo!

La cara sonriente de Rodrigo ocupaba la primera plana del periódico.

—Pero yo no quiero salir en el periódico, pa. Me veo raro —dijo Rodrigo.

—¿Y en la tele? —preguntó Laura.

Encendieron la televisión y a Rodrigo casi se le caen los pantalones de la impresión. En un programa estaban hablando de él. Un señor vestido de traje juraba que Rodrigo era un héroe y un ejemplo para la humanidad. Pero lo más impresionante fue cuando vio en la pantalla a su propia escuela, ¡estaban entrevistando a sus amigos!

—Cuando conocí a Rodrigo era más alto que yo —dijo Teresita a una reportera.

—Yo fui la primera persona a la que salvó Rodrigo —presumió Gerardo, que ya tenía el yeso todo sucio y pintado de mil colores.

Rodrigo apagó la televisión. ¿Por qué no hablaban de algo más? Hay cosas muy interesantes en el mundo como para concentrarse en una sola persona. A

Rodrigo sólo le gustaba ayudar a la gente, no le importaba ser un héroe, ni siquiera quería ser famoso; lo único que quería era ser el mismo Rodrigo de siempre. Pero era difícil porque cuando abrieron la puerta principal de la casa, una luz les dio en la cara. Después otra y luego otra. Eran los flashes de las cámaras de lo reporteros. Había muchos afuera de la casa de los García Núñez y todos tenían una pregunta para el niño.

—Señora, queremos hacerle una entrevista a su hijo —solicitó uno de los reporteros.

—Rodrigo, ¿qué se siente ser el héroe más pequeño de la ciudad? —gritó otro.

—¿Es cierto que odias a los gatos y que por eso sólo rescatas perros? —le preguntó una señorita de lentes.

—¿Por qué te estás encogiendo? —quiso saber un barrigón que le puso un micrófono en la cara.

—¿Es cierto que trabajas en un circo?

—¿Tienes novia?

—¿Eres del planeta Tierra?

—¿Eres un duende?

—¡Noooooo soy un duende! —gritó Rodrigo.

No quería hablar con nadie.

—Ya no me molesten, sólo soy un niño y tengo que llegar a la escuela —dijo muy convencido y se abrió paso entre las cámaras, los autobuses y los pies de los reporteros.

Rodrigo estaba muerto de cansancio cuando volvió a casa después de la escuela. Los niños querían tomarse fotos con él y en la calle le seguían haciendo preguntas tontas. Frijolito estaba harto de la televisión, de los periódicos, de las entrevistas y de las personas que ahora lo trataban como si fuera alguien diferente sólo por ser chiquito y famoso.

Por suerte, su mamá lo recibió con un abrazo cariñoso, una sonrisa muy grande y su platillo favorito: espagueti.

—Alguien trajo un regalo para ti —dijo Laura.

—¿Para mí?

Antonio sacó una cajita de metal y se la entregó. Era la Medalla al Mérito que le había enviado el capitán Gibrán Rotela; era muy bonita y Rodrigo se la puso, aunque le quedaba grande.

—Pero hay otro regalito para ti —agregó Laura.

Entonces abrió la puerta de la cocina y el perro orejón que Rodrigo había rescatado corrió directo hacia él moviendo la cola. Le saltó encima, lo tiró al suelo y le dio un lengüetazo en la cara.

—Si quieres adoptarlo necesita tener un nombre —dijo papá.

—Oreja. Se llama Oreja —contestó Frijolito.

agachó pa-
no fuera de
veía frente a

arejo. De se-

dó los lentes
igo.
Soy un cien-
famoso.
chado, señor,
y me acorda-

nrisa fingida.
ca se le dobla-
veías sus ojos

te ves bastan-

o.
servó al niño.

OPUESTA

vio que sus papás
nbre. Era un tipo
una bata blanca,
aro era que tenía
a, pero a los lados
como si una rodi-
ena. Al princi
doctor má
n él, i

largos. Le apretó la mano con fuerza y se
ra verlo muy de cerca, como si Rodrigo
verdad, como si fuera un sueño lo que
él. Oreja no dejaba de ladrarle.

—Rodrigo, soy el doctor Marcio Melg
guro ya has escuchado hablar de mí.

Rodrigo lo miró extrañado.

—No, nunca.

Melgarejo se aclaró la voz y se acom
mirando otra vez muy fijamente a Rodr

—Quizá has escuchado mi nombre.
tífico muy famoso, internacionalmente

—Estoy seguro de que no lo he escu
porque yo tengo muy buena memoria
ría de un apellido tan chistoso.

Marcio Melgarejo dejó salir una so
Se notaba que era fingida porque la bo
ba como si se estuviera riendo, pero si
parecía que estaba enojado.

—Eres un niño muy inteligente. Y
y muy sano —dijo Melgarejo.

tiene razón", pensó Rodrig
se sentó en una silla y o
tan incómodo con e
llón para sentars

quí?

—He venido a hacerte una propuesta muy interesante —dijo Melgarejo mientras sus largos dedos jugaban con su anillo.

Oreja no dejaba de ladrar y en la cocina el agua para el café ya estaba hirviendo. El doctor Marcio Melgarejo explicó que se había dedicado toda la vida a estudiar el fenómeno del encogimiento de las criaturas. Cuando vio a Rodrigo en las pantallas de televisión supo de inmediato que tenía que hacerle una visita y comprobar con sus propios ojos que lo que veía era cierto. Melgarejo quería demostrar que en la naturaleza existían casos de seres que se encogían sin una razón obvia, pero jamás había tenido la oportunidad de comprobar esta teoría.

Y Rodrigo representaba la oportunidad perfecta para hacerlo.

—¿Entonces qué quiere que yo haga? —le preguntó el niño.

Melgarejo dejó de jugar con su anillo y abrió los ojos muy grandes atrás de sus gruesos lentes.

—Quiero que vengas conmigo a mi laboratorio.

—Pero yo no le puedo ayudar, no sé nada de laboratorios, todavía no entro a la secundaria.

Melgarejo dejó escapar una risita.

—No necesito ayuda en mi laboratorio. Me gustaría hacerte algunos estudios.

Entonces Laura, que tampoco sentía simpatía por Melgarejo, lo interrumpió:

—Rodrigo ya ha estado con los médicos más especializados de la ciudad y ya le han hecho demasiados estudios. No creo que necesite uno más.

—Pero no le han hecho estudios de encogimiento, ¿o sí? —preguntó con voz grave Melgarejo.

—Este... bueno, pues no... —titubeó Antonio.

Entonces Melgarejo se puso de pie y alzó la voz mientras se acercaba a Rodrigo:

—Si vienes conmigo, te haré las pruebas de encogimiento más sofisticadas del mundo. Así, la ciencia podrá comprender este fantástico fenómeno gracias a mis estudios y gracias a ti, claro está. Y si todo sale bien es probable que pueda ayudarte a regresar a tu tamaño normal.

Rodrigo se quedó callado. Desde que había empezado a encogerse jamás había pensado en volver a su tamaño normal.

—Y todos los gastos corren por mi cuenta —dijo Melgarejo mientras sonreía otra vez con esos ojos extraños.

—A ver, a ver, un momento, después de estos estudios, ¿es probable o es seguro que Rodrigo volverá a su tamaño? —preguntó Antonio intrigado.

Melgarejo torció la boca y respondió en voz baja:

—Es probobolo...

—¿Qué dijo? No le entendimos —aclaró Laura.

—Es probable —respondió Melgarejo sin muchas ganas.

Rodrigo se acomodó en su asiento.

—¿Qué dices, Rodrigo? ¿Estás listo para acompañarme y grabar mi nombre... y el tuyo, en las páginas de la ciencia y de la humanidad? Puedo esperarte unos quince minutos para que hagas tus maletas. El coche está estacionado justo afuera de tu casa y si partimos hoy podremos empezar mañana mismo con los experimentos. Con los estudios, quiero decir —le propuso Marcio Melgarejo a Rodrigo mientras lo veía fijamente.

Rodrigo se paró en el sillón.

—Señor Melgarejo, pero ni operado de la cabeza iría con usted a que me hiciera pruebas. Yo soy un niño, no un fenómeno.

El rostro de Melgarejo se transformó enseguida: desapareció esa extraña sonrisa de su boca y la cara se le hizo larga, gris y seria.

—No sabes lo que dices, Rodrigo. Te ofrezco la gloria de la ciencia, premios y reconocimientos internacionales. Y, claro, la posibilidad de regresar a tu tamaño natural.

—Pero ya dije que no quiero —respondió Rodrigo.

Marcio Melgarejo hacía un esfuerzo enorme por controlarse.

—Eres un pequeño mequetrefe. No estás entendiendo bien —dijo molesto Melgarejo.

—Pero no quiero —contestó Rodrigo.

Antonio se levantó del sillón y dijo con voz firme:

—Parece que el que no entendió nada es usted, doctor Melgarejo. Mi hijo no acepta su propuesta. Punto final.

La actitud de Melgarejo cambió, su tono de voz se volvió más dulce y comprensivo, y encogió sus largos dedos huesudos.

—Escuchen, esto lo estoy haciendo por Rodrigo, porque quiero ayudarlo. No tienen que responder ahora si no quieren. Piensen lo que les he dicho, mediten mis palabras.

Laura también se puso de pie.

—Le agradecemos que haya venido y si en algún momento decidimos aceptar su oferta nos comunicaremos con usted —dijo con seriedad.

Entonces Antonio abrió la puerta de la casa para que Melgarejo saliera, pero parecía que el extraño hombre no quería irse, al menos no sin Rodrigo.

—Buenas noches —dijo Antonio.

—Estamos cansados y queremos dormir —agregó Laura.

—Ya váyase —dijo Rodrigo.

Melgarejo bajó la cabeza, se acomodó los lentes y salió de la casa, pero antes de partir volteó a ver a Rodrigo con esos extraños ojos y sonrió otra vez.

Cuando Antonio cerró la puerta, Oreja dejó de ladrar al fin.

—Es un tipo muy extraño —comentó Laura.

CABER

El mundo en general no está hecho para los niños: está hecho por adultos y para adultos.

Cuando somos niños las cosas son muy grandes para poder usarlas. "Cuando crezcas vas a poder" es una de las frases que más se usan alrededor del mundo. Todos los niños la han escuchado al menos cien veces en su vida.

Y si es cierto que el mundo no está diseñado para los niños, ¡pues mucho menos para un niño que se encoge! Las cosas que antes Rodrigo podía hacer con facilidad, ahora eran casi imposibles. Ya no podía alcanzar el lugar en el que Laura escondía las galletas, tampoco podía abrir el candado de la puerta, ni alcanzaba la parte más alta del clóset de su cuarto, en donde guardaba los juegos de mesa y los balones. Si quería ir al baño tenía que ser súper cuidadoso para no caerse en el escusado. También tenía que arrastrar un banquito por todas partes para poder lavarse las manos o para subirse a su cama. Rodrigo tenía el tamaño de un gato, pero no su agilidad.

Como no cabía en el mundo "normal", Laura se dedicó a adaptar la casa para su hijo. Puso escaloncitos en casi todas partes, cosió ropa para que le quedara bien e instaló una resbaladilla en las escaleras. También adaptó el clóset y pintó una pelota de tenis como si fuera de futbol para que Frijolito pudiera seguir jugando. Antonio le hizo un cepillo de dientes, unos tenis a la medida y hasta una pequeña canasta de básquetbol.

Frijolito estaba feliz en su casa; gracias a sus papás podía seguir haciendo todo por su cuenta, aunque le costara un poco más de trabajo. Pero por desgracia, las cosas fuera de la casa de los García Núñez no eran igual. Nadie construía escaloncitos para que Rodrigo pudiera lavarse las manos, ni había una cuerda para que no se cayera en los escusados, ni tampoco libros en las sillas para que pudiera sentarse. Rodrigo luchaba por adaptarse al mundo, pero el mundo no se adaptaba a él.

De pronto, Frijolito pensó que sus sentimientos eran demasiado grandes para un cuerpo tan chiquito. Le dio tristeza pensar que a lo mejor no volvería a ser el mismo. No podía creer que en tan pocas semanas se hubiera encogido tanto y que su vida hubiera cambiado tan rápido. Comenzó a imaginarse muchas cosas y a pensar en el tamaño que tendría cuando fuera a la secundaria, qué ropa iba a ponerse, cómo le iba a hacer para subir hasta el tercer piso y por qué de entre toda la gente que existe en el mundo, el único que se estaba encogiendo era él.

¿Por qué él y no alguien más? Deseó con todo su corazón lavarse los dientes como un niño "normal", subirse a la cama como un niño "normal", jugar futbol como un niño "normal". Quería, por primera vez en mucho tiempo, recuperar su tamaño "normal".

Y como si de verdad los sentimientos fueran mucho más grandes que él y no le cupieran, empezaron a salírsele por todos lados y se puso a llorar.

UNA NOCHE LARGA Y OSCURA

Las cosas que marcan la vida de las personas pueden suceder de un segundo a otro. Si alguien se gana la lotería, se convierte en millonario de un segundo a otro. Cuando alguien conoce a su mejor amigo, de un segundo a otro cambian sus tardes y sus juegos. Cuando respondes un examen, de un segundo a otro puedes aprobar o reprobar Matemáticas. Basta sólo un segundo para que te cierren las puertas del salón en las narices. En un segundo te caes de la bicicleta, te rompes un diente, pierdes el autobús o metes una canasta para ganar el partido.

Y lo que le pasó a Rodrigo fue más o menos así: estaba acostado en su cama cuando escuchó que Oreja comenzaba a ladrar. Antes Rodrigo se hubiera puesto una almohada en la cabeza para no escuchar el escándalo de su perro, pero ahora era tan pequeño que podía dormir sobre una almohada como si fuera una cama para él. Cerró los ojos y se estiró lo más que pudo; estaba cansado y lo que más deseaba era dormir.

De un segundo a otro, una mano larga y huesuda se detuvo sobre su boca.

Abrió los ojos, pero como todo estaba tan oscuro no pudo ver nada, sólo sombras. Pataleó con todas sus fuerzas intentado zafarse, pero no lo consiguió. Quería gritar, pero tenía la boca tapada. De pronto, le acercaron una bola de algodón a la nariz. Olía a demonios. Rodrigo pudo ver el brillo de unos ojos que lo miraban con atención. Siguió moviéndose como una lombriz y dando brincos como si fuera una cabra, pero empezó a sentirse muy cansado, sus ojos comenzaron a cerrarse y pudo ver, en la mano que le cubría la boca, un destello rojo. Sintió un peso muy grande y oscuro que lo empujaba hacia abajo y entonces cayó en un sueño muy profundo.

Cuando Rodrigo abrió los ojos, la cabeza le dolía muchísimo y no recordaba quién era, en dónde estaba, en qué escuela iba, quiénes eran sus papás, qué era lo que había pasado. Era como una hoja en blanco. Pasó un minuto completo intentando armar el rompecabezas de su vida. Fue un minuto que le pareció un día completo. Cuando vio su pequeño zapato hecho a la medida, como por arte de magia, toda su vida volvió de golpe y recordó la extraña mano de la noche anterior. Se puso de pie enseguida para descubrir que no estaba en su cama, ni en su recámara, ni siquiera en su casa. No reconocía ese lugar, nunca antes había estado ahí. Caminó hasta el sitio por donde entraba la luz y descubrió una reja. Estudió las paredes; eran de un plástico grueso y oscuro.

Rodrigo se dio cuenta de que estaba encerrado en una jaula para gatos. Y gritó:

—¡Mamáááááááá! ¡Papáááááááá! ¡Orejaaaaaaaaa! —pero nadie respondió.

Sacó el brazo por uno de los hoyitos de la reja para intentar abrirla, pero estaba cerrada con un candado y, aunque utilizó todas sus fuerzas, no consiguió nada.

Rodrigo comenzó a observar lo que había afuera de la jaula. Era un lugar grande en donde todo estaba pintado de blanco, pero era un color blanco sucio y desgastado y cubierto por una capa de polvo. Había una mesa de trabajo muy grande y también instrumentos de muchos tipos que Rodrigo jamás había visto en su vida. Tijeras con formas extrañas, pinzas de todos los tamaños y vasijas de cristal transparente. También había un microscopio al centro de la mesa. Rodrigo quería salir de ahí cuanto antes y empezó a sacudir la reja con todas sus fuerzas.

—¡Sáquenme de aquí! —gritó.

Entonces escuchó cómo se abría una puerta de madera con un rechinido. El sonido de unos pasos se acercó lentamente hasta él.

—Buenos días, sujeto de estudio —dijo una voz.

Rodrigo palideció al darse cuenta de que se trataba del doctor Marcio Melgarejo. Vestido con su bata blanca, con el pelo largo a los costados y sin un solo pelo sobre el coco pelón.

Melgarejo se inclinó hacia Rodrigo y lo observó satisfecho a través de sus gruesos lentes.

—Espero que hayas dormido muy bien. Hoy nos espera un día muy largo.

—Quiero que me saque de aquí y me lleve a casa con mis papás en este momento —exigió Rodrigo.

Melgarejo sonrió y mostró sus dientes. Eran tan extraños como él: unos cubiertos de metal, otros blancos, otros cafés y otros negros.

—Todo a su debido tiempo, sujeto de estudio. Vas a regresar con tus papás cuando terminemos con nuestro trabajo —respondió Melgarejo.

—Mire, si no me regresa ahorita le voy a decir a la policía. Además, estoy seguro de que mis papás ya me están buscando —advirtió Rodrigo.

El doctor Marcio Melgarejo se acomodó los lentes, sacó una galleta vieja de su bata, le quitó una pelusa y después le dio una mordida.

—Todo sería más sencillo si hubieras aceptado la oferta que te hice.

—Usted me robó —dijo Rodrigo furioso.

Melgarejo se acomodó el anillo dorado, tomó lápiz y papel y luego comenzó a escribir.

—Robar es una palabra muy fea. Digamos que te tomé prestado —dijo Marcio Melgarejo y dejó escapar otra de sus odiosas risas.

—¿Qué quiere hacer conmigo?

Marcio arrastró una silla y se sentó frente al niño mientras se ponía un par de guantes.

—Como ya sabes, desde hace mucho tiempo me he dedicado a estudiar el fenómeno del encogimiento entre los seres vivos. Hace unos veinte años, era uno de los científicos más conocidos de la universidad, pero los tarados de mis colegas siempre han querido que demuestre con pruebas los resultados de mis investigaciones. Creen que estoy loco como una cabra. Hoy eso cambiará y todo gracias a ti, Rodrigo, claro, y a mis estudios.

Melgarejo se puso de pie y abrió los brazos de par en par, como si quisiera abrazar al mundo entero.

—Dentro de una semana, los mejores científicos del mundo vendrán a ver con sus propios ojos que mis teorías son ciertas, que no estoy chalado. Y entonces me respetarán y reconocerán como el genio que soy.

—¿Y después me puedo ir? —preguntó Rodrigo.

—Claro, claro. Sólo te haremos algunas pruebas y estudios científicos para comprobar ciertos datos que guardo en este librito.

Marcio dejó caer un libro gordísimo sobre la mesa.

—Cuando hayamos comprobado esta información, con suerte podré descubrir cómo regresarte a tu tamaño normal.

—¿Pero cuándo va a ser eso? Yo me quiero ir ya.

Melgarejo se quedó pensando y comenzó a hacer cálculos con los dedos de las manos.

—Mmmmmm. Calculo que en unos siete años.

—¡¿Qué?! ¡Yo no puedo estar siete años aquí! ¡El lunes tengo clases! —gritó Rodrigo.

Melgarejo se quitó los gruesos lentes y los limpió con la manga de la bata.

—Bueno, esta conversación ha terminado. Y descansa un poco que aún hay muchas cosas que hacer antes de nuestra gran noche.

Y dicho esto, Melgarejo salió y dejó a Rodrigo solo con sus pensamientos durante el resto del día.

PERDER A ALGUIEN ES COMO TENER UN HOYO

—¡Rodrigoooooooooooooo! —gritó Laura en la mañana para que su hijo bajara a desayunar.

—Seguramente se quedó otra vez envuelto en sus sábanas —dijo Antonio.

Pero después de varios minutos y de varios gritos, Laura fue directo a la recámara y se quedó congelada al descubrir que su hijo no estaba ahí. La habitación parecía intacta, pero la ventana estaba abierta y el viento hacía ondear la cortina. Oreja entró ladrando.

—Oreja, ¿dónde está Rodrigo?

A Oreja le hubiera encantado responder, pero era un perro y sólo pudo ladrarle a la ventana.

Antonio subió tan rápido como pudo y se rascó la cabeza. No se imaginaba a dónde podría haber ido su hijo tan temprano.

Laura se quedó como congelada cuando una idea cruzó por su cabeza:

—A lo mejor se encogió tanto en la noche que ya no lo podemos ver.

Antonio la tranquilizó y le dijo que seguramente su hijo les estaba haciendo una broma y se había escondido en algún rincón de la casa. Así que los dos buscaron a Rodrigo en sus escondites favoritos: en el clóset del pasillo y en la alacena de la cocina donde guardaban las galletas; lo buscaron en el mueble grande del baño, detrás de las macetas en el patio, debajo de la cama y hasta en la azotea.

—¡Rodrigooooooooooo! Por favor, sal de donde estés.

—¡Si no quieres ir a la escuela no importa, te puedes quedar en la casa!

—¡Rodrigoooooo!

—¡Frijolitooooooo!

—¡Sal, por favor, Rodrigo!

Pero Rodrigo no aparecía. Lo que iba apareciendo poco a poco y se hacía más grande era la preocupación de Laura y de Antonio. Un niño no puede simplemente desaparecer, ¿o sí?

Laura y Antonio hablaron a casa de Gerardo, a casa de Martín y luego a casa de todos los niños del A y enseguida a todos los del B, a casa de todos los niños de todos los salones, hablaron con los maestros y con las maestras, con los primos y las primas (hasta con los que le caían mal a Rodrigo). Le hablaron a todos los tíos, a las tías, a los amigos, a los amigos de los amigos de sus tías. Pensaron en el extraño Marcio Melgarejo y llamaron por teléfono a su casa; él les aseguró que no había visto a Rodrigo, pero que si sabía algo de él les avisaría inmediatamente, y les deseo suerte en su búsqueda.

Los García Núñez fueron a todas las estaciones de radio y de televisión, visitaron a Gibrán Rotela y pidieron a los bomberos que pusieran atención y que buscaran a Rodrigo. Subieron una foto a Internet y se hizo viral: la cara de Rodrigo aparecía en todas las pantallas de todos los celulares y de todas las computadoras. Hicieron un letrero muy grande que decía: "SE BUSCA UN NIÑO CHIQUITO QUE RESPONDE AL NOMBRE DE FRIJOLITO". Rodrigo estaba en los postes de luz y en los troncos de los árboles. Laura y Antonio salieron por carretera hacia la ciudad, buscaron en los parques de diversiones, en los hospitales, en los estadios de futbol, en los camiones, en la sección de frutas y verduras de los supermercados, en las dulcerías y en los cines.

—¡Rodrigooooooo!

Buscaron otra vez en la habitación, entre las sábanas, debajo de la cama, en el lavabo, en la lavadora, en las cajas de zapatos, en el bote de basura... Buscaron a Rodrigo en el cielo y en el agua.

—¡Rodrigooooooooooo!

Y no podían dormir. Si cerraban los ojos un momento y se quedaban dormidos, soñaban que Rodrigo tocaba a la puerta de la casa. Cada minuto que su hijo no aparecía, Laura y Antonio sentían un hoyo, era como si les faltara una parte.

Una mañana, Antonio tuvo una idea: fue a uno de los cajones de la ropa de Rodrigo y sacó unos calcetines viejos que tenían un hoyito en la punta, después llamó a Oreja, quien se puso a olfatearlos con todas las ganas. Luego de diez minutos, Oreja paró las orejas y sin que Laura y Antonio pudieran evitarlo, salió por la puerta principal corriendo y ladrando a toda velocidad. Y no volvió.

LA SOPA SE ENFRÍA

Se estaba haciendo de noche cuando el doctor Marcio Melgarejo apareció recién bañado y apestando a una loción que olía a tierra mojada. Se acercó a la jaula de Rodrigo. En los últimos días, Frijolito se había encogido más y ahora la ropa con la que había llegado al laboratorio de Marcio le quedaba enorme: los zapatos que le había hecho Laura se le salían, la ropa le quedaba súper floja y cuando caminaba se le caían los pantalones. Sin embargo, esa noche, Rodrigo no caminaba.

Melgarejo se ajustó los grandes lentes y acercó la nariz a la jaula del niño.

—Esta noche necesito que te portes muy bien, ¿me entiendes? Ya casi está todo listo para la gran presentación con la comunidad científica internacional.

Rodrigo estaba en un rincón de la jaula, echo bolita y con los ojos cerrados. Ahora, era apenas más grande que un ratón.

—Te estoy hablando, sujeto de estudio.

Pero Frijolito no respondió, seguía acostado ahí, inmóvil. El doctor Melgarejo se puso nervioso y con las palmas de las manos bien abiertas dio dos sonoros golpes en la jaula.

—Despierta, Rodrigo, es hora de levantarse.

El niño apenas se movió un centímetro y dejó escapar un quejido, como si le doliera algo. Melgarejo se alarmó. No podía dejar que le pasara nada malo a Rodrigo.

—Oye, ¿te sientes bien?

—No.

Rodrigo no había comido en todo el día y sentía un agujero en la panza.

Marcio se rascó la cabeza, tenía tantas cosas científicas en mente que no se le ocurrió que debía darle de comer a su sujeto de estudio. Lo último que quería era que un dolor de cabeza y de panza echaran a perder su gran momento con la comunidad científica internacional, así que tomó la jaula y la llevó cargando hasta la cocina.

Rodrigo se puso en alerta cuando sintió que el doctor Marcio Melgarejo levantaba la jaula. Parecía que su plan podría funcionar.

Melgarejo puso la jaula en la barra de la cocina. Si su laboratorio estaba lleno de polvo, la cocina tenía más mugre aún. Era como si nadie hubiera cocinado ahí en años, y eso podría explicar por qué Marcio se veía flaco y huesudo.

El doctor abrió la puerta del refrigerador y sacó una cebolla tan vieja que ya tenía raíces. Después sacó una papa tan vieja que parecía una pasa gigante. Por último, sacó una mayonesa tan vieja que tenía un sospechoso color verde. Nada de lo que había en el refri servía para comer.

—En el fondo no soy una mala persona, Rodrigo. Para hacerte sentir bien voy a prepararte tu platillo favorito. ¿Qué es lo que más te gusta comer?

—Espagueti —contestó Rodrigo sin pensarlo dos veces.

—Muy bien. Sólo tengo que leer las instrucciones y listo. Un científico puede hacer cosas mucho más difíciles que un espagueti.

Marcio Melgarejo abrió una de las puertitas de la alacena y sacó una caja de espagueti cubierta de polvo. La limpió con la mano y se acomodó bien los lentes para leer las instrucciones. Todo parecía bastante sencillo, sólo tenía que hervir el agua y dejar el espagueti unos minutos para que se cociera.

Frijolito ya no estaba echo bolita en la jaula, ahora estaba sentado junto a la puerta, con los pies por fuera de las rejas y se asomaba hacia la cocina.

Melgarejo le parecía un tipo muy particular.

—¿Puedo preguntarle algo? —dijo Rodrigo.

—Sí —respondió Melgarejo.

—¿Por qué hay tanto polvo en la cocina?

—Porque casi nunca la uso.

Rodrigo se quedó pensando un momento.

—¿Y entonces qué come?

—Papas fritas y agua de limón. Me gusta mucho el agua de limón —dijo Melgarejo.

Rodrigo estaba impresionado; a él jamás lo dejarían comer sólo papas fritas y agua de limón.

—Oiga, ¿y por qué le importa tanto lo que digan esos señores que van a venir? —preguntó Frijolito.

—Esos señores son la comunidad científica internacional y me deben reconocimiento —respondió Melgarejo muy seguro de sus palabras.

—Pero si usted dijo que eran unos tarados. ¿Entonces por qué necesita que unos tarados lo quieran? ¿No tiene amigos?

El doctor Melgarejo se quedó callado.

—Mis amigos están en los libros. Mi mayor amistad es con las ideas y el conocimiento —respondió después de unos segundos.

—Pero no puede jugar futbol con el conocimiento —dijo Rodrigo.

—Nunca fui bueno para el futbol, ni para *los quemados*, ni para *las traes* —aclaró Melgarejo.

—¿En dónde viven sus papás?

—Mis papás ya no viven —respondió Melgarejo con seriedad.

—¿Y los extraña? —preguntó Frijolito.

—Sí, sí los extraño. Mi mamá estaría muy orgullosa de mí al ver que soy un científico reconocido.

—Yo no creo que su mamá estaría orgullosa de saber que se robó a un niño —dijo Rodrigo.

Marcio se puso incómodo.

—Bueno, basta de pláticas que hay mucho trabajo por hacer.

—Yo también extraño mucho a mis papás, doctor Melgarejo —dijo Rodrigo, y le pareció que detrás de los lentes y de la bata blanca de Melgarejo había una persona que se sentía sola.

En un plato polvoriento, el doctor puso un montón de espagueti y lo acercó a la jaula. Era el peor espagueti que Rodrigo había visto en su vida, no tenía salsa de jitomate, ni albóndigas, ni queso, ni cebolla, ni nada. Melgarejo intentó meter el plato a la jaula, pero no lo consiguió.

—Este plato no cabe por aquí —refunfuñó

—¿Puedo pedirle algo? —preguntó Frijolito—. ¿Me puede dejar comer afuera de esta jaula? Hace muchos días que no salgo y no me gusta estar encerrado. Siento como si estuviera en la cárcel.

—Pero no estás en la cárcel, sujeto de estudio. Estás ayudando a la ciencia y a la humanidad.

—Pero estoy encerrado y cuando la gente está así es porque ha hecho algo malo —agregó Frijolito.

—Pero tú no has hecho nada malo —respondió Marcio.

—Por eso quiero que me deje comer afuera de la jaula, por favor —pidió Frijolito.

Marcio se quedó pensando durante un par de minutos y finalmente aceptó la propuesta de Rodrigo. Fue por una cuerda a su recámara. Amarró un extremo al refrigerador y después abrió con cuidado la puerta. Rodrigo salió por primera vez en muchos días y, aunque los pantalones le quedaban flojos y se le caían, estaba feliz de estar afuera. Melgarejo tomó a Frijolito en su mano huesuda.

—Espero que no me tomes a mal que te amarre y que tu jaula no sea más cómoda, pero piensa que hago todo esto en favor de la ciencia y de la humanidad —explicó el doctor.

Melgarejo amarró el otro extremo de la cuerda a la cintura de Rodrigo, que se sentó en el borde de la barra de la cocina. Como ya era bastante pequeño y le costaba trabajo usar el tenedor decidió comer con las manos. Probó el primero de los espaguetis y le supo a rayos. Melgarejo podría ser un buen científico, pero era un pésimo cocinero.

—¿Qué tal me quedó? — preguntó el doctor.

—Mmmmmm —contestó Rodrigo, haciendo un esfuerzo por no escupir la comida.

Melgarejo sonrió con satisfacción, acercó un b co junto a Rodrigo y después se quitó los lentes p tallarse los ojos.

Luego, todo sucedió en un segundo.

Rodrigo vio los gruesos lentes de Melgarejo sob la mesa y sintió que un resorte automático se activ ba dentro de él. Brincó por encima del plato de esp gueti y pateó con todas sus fuerzas los lentes, como estuviera a punto de tirar un penal y el portero fu ra Martín, como si fuera a meter el gol más impo tante de su vida.

¡Paaaac!

Los lentes salieron volando y cayeron al suel De inmediato se escuchó cómo se fracturaban lo cristales.

¡Crrrraaaac!

—¡¡¡Mis anteojos!!! —chilló Melgarejo.

El doctor se puso como loco y rápido se tiró al suelo para buscar sus lentes. Sin ellos, prácticamente no veía nada, sólo manchas.

—¡¡¡Quédate donde estás, sujeto de estudio!!! ¡¡¡No te muevas!!!

Sin embargo, Frijolito ya había tomado uno de los cuchillos de la cocina e intentaba partir la cuerda que tenía amarrada a la cintura.

Melgarejo tanteaba el suelo con las manos, como si fuera un ciego.

Cuando Rodrigo finalmente pudo desatarse, soltó el cuchillo que cayó en el piso con un tintineo.

—¡¿Qué estás haciendo?! —preguntó Melgarejo nervioso.

—Nada, doctor, estoy aquí —respondió Rodrigo mientras caminaba sigilosamente sobre la barra de la cocina.

Melgarejo encontró los lentes y se los puso y, aunque estaban fracturados, pudo ver a Rodrigo como una mancha caminando.

—¡No escaparás! —gritó.

Y tomando una de las palas de cocina intentó pegarle, pero Rodrigo esquivó el golpe. Melgarejo se puso furioso y tiró la olla de espagueti con todo y el agua hirviendo. La cocina se llenó de vapor. Rodrigo sabía que ésa era su única oportunidad para escapar de Marcio Melgarejo. Tenía que pensar rápido. Recorrió el lugar con la mirada y vio que la ventana estaba abierta. Rodrigo corrió tan rápido como pudo hasta ella.

—¡¡¡Detente!!! ¡¡¡Te ordeno que te detengas en el nombre de la ciencia!!!

Melgarejo había perdido la cabeza y ahora golpeaba con la pala de la cocina sin sentido. Era un escándalo, los platos caían y se estrellaban en el suelo, y los cubiertos estaban regados por todas partes. Rodrigo se asomó por la ventana abierta y sintió vértigo. El laboratorio estaba en el décimo piso.

El doctor concentró todas sus fuerzas para poder ver a Frijolito a través de los lentes fracturados, el desorden y el vapor en la cocina.

Entonces percibió una sombra junto a la ventana. Tomó la pala de madera con todas sus fuerzas y se acercó.

—No escaparás... De ninguna manera escaparás.

Rodrigo tenía que actuar rápido, así que tomó una bolsa del supermercado y se puso las agarraderas debajo de las axilas, se acercó al borde de la ventana y cuando Melgarejo estaba por aplastarlo con un golpe brutal, saltó hacia el vacío.

UN ATERRIZAJE FORZOSO

La bolsa del supermercado se infló de golpe como un paracaídas y Rodrigo comenzó a descender lentamente por los aires. Miró hacia arriba y pudo ver la ventana por la que había saltado y a Marcio Melgarejo asomándose hacia la noche, agitando la pala de cocina y gritando con todas sus fuerzas:

—¡Regresaaaaaaaaaaaaa!

Sin embargo, Frijolito jamás regresaría y el doctor Melgarejo sería la burla de la comunidad científica por el resto de su vida.

Rodrigo no tenía la menor idea de dónde estaba. Conocía muchas partes de la ciudad, pero ésta definitivamente no. Había edificios muy altos por todas partes, y avenidas llenas de coches yendo y viniendo a toda velocidad. El niño tuvo un sentimiento de terror al darse cuenta de que estaba a punto de aterrizar en medio de la calle gigantesca. Con su tamaño sería imposible que un conductor lo viera y frenara antes de convertirlo en una estampilla pegada al pavimento. Oyó cada vez más cerca el sonido de las bocinas y el rumor de los motores y hasta vio las cabezas de las personas que caminaban por la calle.

Zoooooooom, zoooooooooom, zoooooooooooom, zooooooooom. Entonces el paracaídas comenzó a agitarse con el viento, se tambaleó en el aire y en cuestión de segundos se desinfló.

La caída fue tremenda y Rodrigo se llevó un muy buen golpe, pero por fortuna era un niño muy ágil y casi en el momento en que tocó el suelo se puso de pie, se quitó la bolsa de plástico y saltó antes de que un coche le pasara por encima. Iba a toda velocidad y sólo a unos cuantos centímetros de Rodrigo. Así que la única manera de escapar entero de ahí era llegar a la banqueta lo antes posible. Intentó correr, pero en un segundo se le salieron los zapatos, pues ya le quedaban grandes, y se tropezó. Alzó la cara, vio las luces de un coche que venían directo hacia él y cerró los ojos esperando lo peor.

Pero no pasó nada.

Todos los automóviles se habían detenido ¡porque el semáforo se había puesto en rojo!

Rodrigo aprovechó el momento, se levantó como pudo y corrió descalzo hasta la banqueta. Los coches arrancaron de nuevo y aunque Rodrigo estaba tosiendo por el humo, se había salvado.

Debía ser la hora de la salida de las oficinas porque el cielo ya estaba oscuro. La calle estaba repleta de gente y todos caminaban con mucha prisa. Rodrigo tenía que esquivar las piernas y los zapatos de las personas para evitar que le pegaran. Era realmente como un ratón entre los pies de los andantes.

—¡Ey! ¡Ayúdenme! —gritó.

Pero parecía que nadie lo escuchaba; todos iban muy concentrados: caminaban, caminaban, caminaban, veían las pantallas de sus celulares, mandaban mensajes, hablaban solos. Rodrigo se impresionó al ver pies tan distintos. Había zapatos de tacón muy altos, zapatos viejos y con la suela gastada, zapatos negros y brillantes, zapatos rotos y zapatos nuevos en los pies de la gente. El niño no podía creer que ninguna de esas personas lo viera.

—¡Ey! ¡Aquí estoy!

Nadie lo volteó a ver.

Rodrigo le dio un golpe con la mano a la siguiente pierna que pasó a su lado.

Sin embargo, el dueño de la pierna no se detuvo y siguió su camino pensando que le había dado un calambre.

Frijolito vio cómo se acercaban unos afilados zapatos de tacón y, sin pensarlo dos veces, se pescó de las medias de la mujer. Y ella sí que se detuvo. Pero cuando volteó a ver a Rodrigo dio un grito de susto, como si hubiera visto a un fantasma o a un animal extraño, y se echó a correr con todo y zapatos de tacón. Y es que la gente no está acostumbrada a ver las cosas pequeñas de la vida, y aunque el mundo está lleno de maravillas de todos los tamaños, muchas veces nadie las ve ni les pone atención.

Estaba claro que Rodrigo no podía esperar mucho de la gente en la calle, así que se amarró los pantalones con un alambre que encontró, se hizo a un ladito y trepó a un buzón de la oficina de correos para estudiar el panorama. Desde ahí pudo ver que a unos cuantos metros había una parada de autobús. Si conseguía tomarlo, alguien podría verlo y ayudarle a volver a casa, o al menos viajaría a una parte de la ciudad que conociera mejor y donde pudiera pedir ayuda. Rodrigo bajó del buzón y esperó en la parada a que llegara el autobús.

Las llantas rechinaron al detenerse y una puerta automática se abrió al instante. Rodrigo intentó dar un salto hacia el interior, pero un montón de personas lo hicieron a un lado para subirse primero. Alguien lo pateó sin querer y lo mandó directo a un charco. Rodrigo se levantó empapado y subió lo más rápido que pudo por las escaleras. El chofer sin mirarlo le dijo:

—Son cinco pesos.

Rodrigo no tenía ni un centavo partido a la mitad.

—Perdón, señor, pero no tengo dinero.

—Entonces no puedes subirte.

—Por favor, cuando llegue a mi casa puedo pagar todo —dijo Rodrigo.

—Lo siento, no se puede.

—Pero soy famoso. ¿No ha escuchado de mí?

El chofer volteó, pero no lo vio.

—Qué extraño, juraría que escuché a alguien.

Antes de que Frijolito pudiera decir ¡soy yo! tuvo que bajar de un salto y vio cómo se cerraban las puertas en sus narices. El autobús arrancó dejando una nube de humo a su paso. Rodrigo tosió y se alejó de la avenida. Quería encontrar un lugar tranquilo en donde pudiera descansar un poco. Se metió en un callejón donde la luz de los faroles apenas brillaba. Era de noche y hacía frío cuando Rodrigo encontró una caja de cartón que usó como si fuera una pequeña cueva. Pensó en su casa y en sus papás, en lo preocupados que estarían por él; pensó en su deliciosa, suave y gigantesca cama, en sus amigos de la escuela y en todo lo que había cambiado su vida. Y se sintió chiquito, de verdad pequeño en esa calle, en esa ciudad, y poco a poco le pareció que algo se le metía adentro. Era como si se hubiera tragado una bola de tristeza y ahora la sintiera en él, en el pecho. Y empezó a subir por su garganta y después por la nariz hasta que llegó a sus ojos.

EL LARGO CAMINO A CASA

Y cuando la primera lágrima empezó a caer, la caja de cartón voló por los aires como si alguien la hubiera pateado. Rodrigo sintió un golpe húmedo en la cara, como si le hubieran pasado un trapo empapado. Alzó el rostro sorprendido y lo que vieron sus ojos hizo que saltara de felicidad. Era como un milagro. Rodrigo abrazó a Oreja, y Oreja abrazó Rodrigo, o es difícil decir quién abrazaba a quién. Brazos, patas, piernas, rabo, los dos eran una maraña de alegría. Si Oreja pudiera hablar le contaría a Rodrigo que desde el día en que desapareció de casa, sus papás y él lo habían buscado como locos por todas partes. Como Oreja era un sabueso, tenía un olfato extraordinario y había podido seguir el rastro de Rodrigo por la ciudad hasta llegar al edificio en el que Melgarejo tenía su laboratorio. Y si Rodrigo pudiera ladrar, le diría a Oreja que verlo lo hacía el niño más feliz del mundo y que lo único que quería era volver a casa. Pero Oreja era un perro y Rodrigo un niño, y como los dos estaban cansadísimos y no podían seguir más, decidieron dormir ahí.

Rodrigo preparó muy bien la caja de cartón y los dos se protegieron con ella. Rodrigo durmió muy calientito rodeado por el cuerpo peludo de Oreja, que era como una cobija que roncaba durante la noche.

En su sueño, Rodrigo podía volar, pero no como en el paracaídas; podía volar como un pájaro, más alto que los edificios y por encima de la ciudad. Oreja soñó que encontraba un gigante y delicioso hueso al lado de un bote de basura y que una pulga le mordía la pierna.

Frijolito despertó en la madrugada cuando uno de los primeros rayos de sol se metió por el callejón. Oreja seguía profundamente dormido y parecía que soñaba con pulgas porque se rascaba solito. Entonces Rodrigo levantó su oreja, metió la cabeza y le dijo suavemente:

—Oreja, ya despiértate, vamos a regresar a casa.

El perro abrió un ojo y le dio a Rodrigo un lengüetazo de los buenos días y después se sacudió. Era extraño, a diferencia de la noche anterior, ahora no había ni un solo ruido en las calles. No se escuchaban los coches pasar, ni las voces, ni los pasos de la gente. Y cuando salieron del callejón, Rodrigo se quedó impresionado: la calle estaba desierta, no se veía ninguna persona en los alrededores. ¿Cómo era posible que apenas un día antes estuviera todo tan lleno? Eso no parecía importarle a Oreja; sólo quería volver a casa con Rodrigo. Así que bajó la cabeza y comenzó a olfatear el rastro del camino.

Al lado de un bote de basura, Rodrigo encontró un periódico, lo desdobló con cuidado y leyó la primera plana como su papá. Y cuando vio la fecha entendió por qué no había ni gente ni coches en las calles. Era domingo.

—*Guaf, guaf, guau, guau* —ladró Oreja.

—¿Qué pasa? —preguntó Rodrigo.

Y Oreja apuntó con la nariz hacia una dirección como si su cuerpo se hubiera convertido en una flecha que dijera "vamos por aquí, éste es el camino". Si Oreja había llegado hasta ese lugar gracias a su olfato y al olor de los calcetines de Rodrigo, entonces también podría volver a casa de los García Núñez siguiendo sólo su olfato. Frijolito le acarició la cabeza y comenzó a caminar junto a él. En ese momento Oreja era el único ser vivo en el que confiaba.

Después de caminar varias horas bajo el sol, Rodrigo sentía los pies hinchados y su estómago hacía unos ruiditos muy extraños por el hambre. Lo último que había comido era el espantoso espagueti de Melgarejo y sentía que le faltaban fuerzas para continuar. Además, hacía días que no se daba un buen baño, de seguro olía peor que Oreja. Frijolito se recargó en un poste de luz, tenía la boca seca y quería descansar un poco.

—Tengo sed, Oreja.

Sin embargo, el perro no le puso atención porque estaba saciando su sed a lengüetazos con el agua de un charco sucio. Cuando al fin entendió que Rodrigo también tenía sed, lo empujó con la nariz como para animarlo a beber agua del charco. "Si lo hace Oreja, también lo puedo hacer yo", pensó Frijolito. Pero cuando se agachó para beber, vio que el agua estaba café y que una mosca muerta flotaba allí panza arriba. *Slap, slap, slap,* Oreja dio otro par de lengüetazos al charco y la mosca desapareció en su hocico.

Rodrigo se acostó en un pastito que crecía junto a la banqueta y pudo ver cómo había gotitas de agua atrapadas entre las hierbas y empezó a tomarse todas las que pudo. Mientras tanto, Oreja ya se había acabado el agua del charco y había caminado hacia la esquina, perdiéndose de vista.

Después de haber tomado dos traguitos de agua, Rodrigo se volvió a acostar en el pasto para descansar cuando Oreja llegó corriendo.

—*¡Guaf, guaf!*

Rodrigo se levantó. Algo increíble había aparecido frente a sus ojos: quién sabe de dónde Oreja había traído una bolsa de papel llena de cosas deliciosas.

Al interior de la bolsa había un sándwich de jamón con mostaza, jitomate, aguacate y una rebanada de queso. También había una manzana grande y roja y un chocolate.

—¿De dónde sacaste esto? —preguntó Rodrigo, fascinado.

Oreja escondió la cabeza, como si no quisiera decirle, pero eso era lo menos importante.

—Eres el mejor perro del mundo —dijo Frijolito y acarició a Oreja en la cabeza.

El perro empezó a mover la cola como loco. Todo se veía tan delicioso que Rodrigo no sabía qué quería morder primero. Puso sus ojos en la manzana cuando escuchó una voz que venía de lejos:

—¡Ey! ¡Ey!

Oreja se puso nervioso y entonces dio dos vueltas persiguiéndose la cola.

—¿Qué te pasa, Oreja? —preguntó Rodrigo.

—*¡Guaf, guaf!*

En la esquina apareció un hombre que se aproximaba gritando; era un bigotón que tenía la cara roja de coraje y agitaba una escoba.

—¡Ey, tú, perro! ¡Regresa acá! ¡Dame mis cosas!

Frijolito volteó a ver a Oreja esperando una explicación, pero como era un perro sólo tomó la bolsa con el hocico y se echó a correr.

—¡No corras! ¡Dame mi sándwich! —reclamó el enfurecido hombre.

Cuando se acercó más, el hombre se dio cuenta de que el pequeño Rodrigo estaba ahí. Primero se talló los ojos para asegurarse de que no estaba alucinando y después avanzó más rápido hacia el niño, quien estaba paralizado por la impresión.

—Ey, tú, enano, regrésame mi sándwich... —exigió el hombre.

—¡No soy un enano! —respondió Rodrigo.

—¡Duende! ¡Dame mi sándwich!

—¡Ya he dicho mil veces que no soy un duende! —gritó Rodrigo con todas sus fuerzas y se echó a correr para alcanzar a Oreja.

—¡Regresa acá, duende!

El hombre corría lo más rápido que podía, pero la verdad es que era muy lento y luego de dar como veinte pasos se quedó sin aire y tuvo que detenerse. Jamás alcanzaría a esos dos extraños seres.

ZARPA

Rodrigo y Oreja llegaron a un parque y decidieron detenerse ahí para descansar un rato. Después de todo era domingo; el día estaba muy lindo y hacía calor. Con la ayuda de Oreja, Rodrigo se metió a bañar en una fuente que era como una alberca para él y ahí mismo lavó su ropa. Luego la colgó para que se secara. Quería estar muy limpio cuando llegara a casa y lo abrazara su mamá. Bebió toda el agua que pudo y después comió como nunca antes lo había hecho en su vida.

La comida que le había llevado Oreja era un verdadero festín. Frijolito se acabó casi la mitad del sándwich y un buen pedazo de la manzana, también comió chocolate y sólo se detuvo cuando sintió que iba a explotar. Si crees que esto no es muchísima comida es porque no te has imaginado que para un niño que mide lo mismo que un ratón, un sándwich normal es como si fuera del tamaño de una mesa enorme, y una manzana es como del tamaño de un coche, y un chocolate equivaldría a comerse dos bates de beisbol.

Después de comer, cuando su ropa ya estaba seca, Rodrigo y Oreja se prepararon para seguir con su camino. Frijolito guardaba pedazos de la comida que había sobrado, cuando de pronto una ardilla apareció de la nada y en menos de lo que canta un gallo le arrebató el sándwich de las manos.

—¡Oye, se supone que tú comes bellotas! ¡Dame mi sándwich!

Oreja persiguió a la ardilla mientras ladraba.

—Oreja, ya déjala ir —dijo Frijolito, que podía olvidarse del sándwich; en su casa de seguro le esperarían manjares deliciosos.

Pero el perro no lo escuchó, y si lo escuchó no lo obedeció porque se perdió ladrando entre las plantas del parque. Rodrigo decidió esperar a que Oreja regresara de su aventura con la ardilla. Además, estaba en un parque. Si volteaba hacia arriba, el árbol que estaba junto a él se veía majestuoso. Era como un gigante, y parecía que las hojas fueran su cabeza y que se movía cuando soplaba el viento. De las ramas más altas salía el canto de cientos de pájaros. Las nubes pasaban lentamente por el cielo. Rodrigo respiró y se sintió feliz. Sin embargo, algo interrumpió su alegría. Un sonido detrás de las plantas llamó su atención. Algo se movía.

—Oreja, ¿eres tú?

El sonido continuó, pero el perro no apareció.

—Sal de ahí, tenemos que irnos ahora si queremos llegar a casa a tiempo para cenar —dijo Rodrigo.

Y entre las ramas de un arbusto alcanzó a ver dos ojos rojos que brillaban. No eran los ojos de una ardilla, tampoco eran los ojos de Oreja. Rodrigo se quedó quieto. El arbusto se agitó otra vez.

—¡Orejaaaaaa! —gritó Frijolito.

El sonido desapareció. Tal vez el extraño animal se había asustado al descubrir que Rodrigo no estaba solo. El niño recuperó la calma y dio un par de pasos hacia el árbol. En ese momento, de entre los arbustos, saltó un gato blanco que lo miraba con sus brillantes ojos rojos.

—Gatito, gatito... —susurró Frijolito asustado y preguntó—: ¿Quieres un pedazo de chocolate?

Para él, aquel gato era como un león gigantesco, como un tigre dientes de sable que lo hizo retroceder con un gruñido. Los pelos en el lomo del gato se erizaron.

—¡Auxilioooo! —gritó Rodrigo y echó a correr, pero el gato le dio un zarpazo en la pierna y lo tiró.

Después el felino saltó y quedó encima de Rodrigo; le mostró amenazador sus afilados colmillos. ¡Se lo

quería comer! Desesperado, Rodrigo buscó algo en el suelo con lo que pudiera defenderse: una piedra, un palo, algo, lo que fuera.

Entonces el gato preparó un segundo zarpazo, pero el niño tomó un puñado de tierra y se lo lanzó en los ojos.

—*¡Miaaaaau!* —exclamó el gato, quien se quedó ciego por unos segundos.

Rodrigo se puso de pie, corrió hacia el árbol y se arrastró adentro de un agujero que había en la corteza. El gato lo siguió enfurecido hasta su escondite e intentó meter sus afiladas garras, pero no cabían por el estrecho espacio. El niño se dio cuenta de que estaba herido; el gato lo había rasguñado y tenía sangre en la pierna.

Del otro lado, el gato no se daba por vencido. Para él, Rodrigo era un suculento ratón al que le quedaba la ropa grande. Después de escarbar, el felino al fin consiguió meter sus garras en el escondite. Por suerte, Frijolito era muy rápido y esquivó las garras con un salto. Sabía que el gato seguiría atacándolo si no hacía algo pronto, así que tomó un pedazo de rama que encontró en el suelo y cuando la pata del gato apareció de nuevo le pegó con ella.

—*¡Miaaaaaau!* —maulló el felino herido.

Sin embargo, el animal no se asustó y ahora parecía más enojado y más decidido a atrapar a Rodrigo. Así que metió la otra pata en la corteza del árbol y buscó a su presa con las garras. Rodrigo esquivó una vez más el zarpazo y escuchó un sonido a la distancia, era como si se tratara de la música más linda del mundo. *¡Guaf, guaf, guaf!*

¡Era Oreja que venía a salvarlo!

Al escuchar los ladridos, el gato salió espantado del lugar y con la pata herida, y Oreja lo persiguió hasta los arbustos. Rodrigo se asomó por la entrada del agujero para asegurarse de que el gato se hubiera ido, y cuando confirmó que ya no corría peligro se arrastró fuera de su escondite. Oreja movió la cola y lamió la herida de su amigo. Frijolito sólo podía pensar en volver a casa cuanto antes e intentó caminar, pero le dolía tanto la pierna que se tiró al piso.

Parecía que estaba más lejos que nunca de volver con sus papás y sintió muchas ganas de ser un niño "normal", de caminar como un niño "normal" y de ahuyentar a un gato con un simple susto, como un niño "normal". Pero las cosas no siempre son como a uno le gustarían, y Frijolito tenía el tamaño de un ratoncito. Por suerte, no estaba solo. Oreja lo levantó del suelo ayudándose con la nariz y el hocico, y se lo acomodó cuidadosamente sobre el lomo.

—Llévame a casa, Oreja. Estoy cansado...

—*Guaf, guau, guaf* —respondió el perro.

Rodrigo se tomó con todas sus fuerzas del pelo del lomo de Oreja y, montando sobre él, como si fuera un caballo, continuó su camino.

UNA SORPRESA DIMINUTA Y GIGANTE

Antonio y Laura estaban en casa cuando oyeron un rasquido en la puerta.

—¿Escuchaste eso? —preguntó Antonio.

—Debe ser el viento —dijo Laura.

Los dos estaban tan cansados y habían dormido tan poquito en la última semana que ya no sabían lo que estaba pasando de verdad y lo que era sólo obra de la imaginación. Laura ya había creído ver a su hijo unas quince veces, pero siempre se había equivocado. Antonio se la pasaba en el teléfono por si llamaban para avisar que habían encontrado a Rodrigo.

—No fue nada, tienes que descansar.

—Tienes razón —dijo Antonio y se recostó en el sillón de la sala. Después cerró los ojos como si de verdad pudiera dormir, pero justo cuando estaba empezando a soñar, el chasquido se oyó otra vez.

—¿Escuchaste?

—No oí nada —respondió Laura.

Entonces Antonio se puso de pie y fue hacia la ventana, pero tampoco vio nada. En ese momento, el chasquido sonó otra vez: era como si rascaran en la puerta.

—¡Es en la puerta! —exclamó Antonio y corrió hacia ella—. ¿Quién es?

Del otro lado respondieron con un ladrido.

—¿Oreja, eres tú? —preguntó Laura mientras se levantaba.

Cuando Antonio y Laura abrieron la puerta, lo primero que escucharon fue la voz de Rodrigo.

—¡Papá! ¡Mamá!

Laura saltó y gritó de la emoción y Antonio se puso de rodillas y cargó a Rodrigo, quien le dio un abrazo fuertísimo, mientras que Laura llenó de besos al niño. ¡Sus labios eran gigantes!

Los tres García Núñez se dieron uno de los abrazos más grandes que hayan existido en la tierra y en toda la historia de la humanidad. Oreja movía la cola a mil por hora y saltaba contento alrededor de su familia.

Laura le preparó un baño caliente a Frijolito y llenó una palangana con un jabón espumoso que olía exquisito. Antonio le curó el rasguño y después le dio una piyama especial que había hecho para él. Estaba muy suavecita y caliente.

Después Laura preparó leche con chocolate y a Rodrigo le supo como un pedazo de nube.

Antes de irse a dormir esa noche Frijolito les contó todas sus aventuras. Les dijo cómo había escapado de Melgarejo y cómo había volado en paracaídas;

les platicó cómo Oreja lo había salvado y su encuentro con el temible gato. Los tres durmieron muy juntos en la misma cama. Y esa noche, Rodrigo, Laura y Antonio sintieron que todo el amor del mundo estaba adentro de su casa. Y era cierto.

¿SE COMIERON A RODRIGO?

Tan sólo unas semanas después de haber vuelto a casa, Rodrigo ya era un poco más chico que la corcholata de un refresco.

Así que ir a la escuela se había convertido en una experiencia total. Cuando quería participar en clase y levantaba la mano, las maestras no se daban cuenta, ni siquiera cuando gritaba con todas sus fuerzas.

—¡Yo sééééé la respuesta!

Cuando salían al patio en el recreo casi siempre Gerardo tenía que cargarlo. Se lo ponía en la palma de la mano y bajaba las escaleras trotando como un caballo, así que Rodrigo tenía que pescarse de sus dedos. Y claro que no podía jugar fut ni a *los quemados* ni a *las traes*. Lo que sí podía hacer era echarse por la resbaladilla. Para Rodrigo bajar por ahí era como deslizarse por un tobogán del tamaño de una montaña. Pero alguien tenía que esperarlo al final de la resbaladilla para que no se cayera, o para que no se aventara nadie más al mismo tiempo.

Un día, Rodrigo le pidió a Manuel que lo metiera a su trompo para ver qué se sentía. El trompo salió girando por los aires y dio tantas y tantas y tantas vueltas tan rápido, que Rodrigo se sintió dentro de una licuadora y cuando se bajó estuvo mareado toda la clase de Geografía y creía que el mundo estaba al revés.

Había otras cosas buenas de ir a la escuela y ser diminuto, por ejemplo, ningún maestro podía pedirle a Rodrigo que contestara un examen. Para él era imposible cargar una pluma y escribir palabras gigantes en una hoja enorme de papel.

Con el paso de los días, Rodrigo descubrió nuevas formas para hablar con sus amigos. Si quería contarle un chiste a Jimena, primero se subía a su mano y después se acercaba a su oreja. Rodrigo se dio cuenta de muchas cosas diferentes gracias a esto. Por ejemplo, las manos de las niñas casi siempre estaban limpias y olían a jabón y eran muy suavecitas. Y las manos de los niños, en especial las de Martín, siempre estaban cochinas y olían a comida.

El problema de hablarle en la oreja a la gente era que a algunas personas le daban cosquillas y se rascaban sin querer. Y eso sí que podía ser peligroso para Rodrigo. Si alguien se rascaba, Frijolito tenía que dar un gran brinco hasta el pelo de la persona y permanecer ahí hasta que lo bajaran.

Cosas que para el resto de los niños eran "normales", para Rodrigo eran increíbles. Le gustaba sentarse en las gomas de borrar suavecitas, también tocar la tinta fresca de las plumas y luego poner la huella de sus manos en la pared. A veces se escondía en las lapiceras de sus amigos y podía aventarse desde lo alto de una mesa hasta un montón de suéteres, como si estuviera en un espectáculo de circo o en un parque de diversiones.

También podía hacer travesuras que ninguno de los otros niños podía hacer. Podía quedarse dormido en clase y la maestra no se daba cuenta, también podía esconderse en las mochilas, hacer acordeones que nadie podía leer y espiar a quien quisiera. Por eso, Gerardo le pidió un gran favor.

A Geranio le gustaba una niña del salón que se llamaba Lucía. Era una niña pecosa, con lentes y frenos, que era chistosísima y súper inteligente. Sin embargo, Gerardo no se atrevía a hablarle; cuando la veía se ponía rojo, bajaba la cabeza y se desacomodaba el pelo. Después decía algo que sonaba súper zonzo.

—Hola, Lucía, soy Gerardo.

—Ya sé cómo te llamas, Gerardo. Nos sentamos juntos —contestaba Lucía.

—Jeje, sí, ¿verdad? —respondía Gerardo, que para entonces ya estaba todo rojo por la pena.

El asunto es que Gerardo le llevó un regalito a Lucía y ella no le dijo nada. Nada de nada. Por eso Gerardo quería que Frijolito se escondiera en la lonchera de Lucía y que la espiara durante el recreo, cuando todas las niñas se juntaban en el patio a contarse sus secretos. Gerardo estaba tan nervioso que Frijolito no pudo decirle que no y, sin que nadie se diera cuenta, se escondió en la lonchera de Lucía.

Rodrigo se abrazó a una manzana y sintió cómo la lonchera de Lucía saltaba por el patio. El plan estaba funcionando porque empezó a escuchar las voces de las otras niñas del salón: ahí estaban María, Teresita, Gabi y, claro, Lucía. Pero con lo que Rodrigo y Gerardo no contaban era que en algún momento Lucía iba a querer comerse su *lunch*. Cuando abrió su lonchera y vio a Rodrigo dio un grito:

—¡Aaaaaaaaaaaaaaaaaaaaah!

La lonchera salió volando por los aires y Rodrigo con ella. Por suerte, aterrizó en el pastito y no le pasó nada, pero cuando quiso correr, Gabi lo pescó.

—Rodrigo, ¿qué haces aquí? —le preguntó.

—¡Na-na-na-nada! —dijo Frijolito.

—¡Nos está espiando! —reclamó Teresita.

—¡No, no, no! Me equivoqué de lonchera.

—¿Qué haces aquí? —insistió María—. ¿Te mandó Gerardo?

Rodrigo estaba pensando cómo salir del embrollo cuando tuvo una gran idea:

—¡Vine aquí para invitarlas a una fiesta! Y quería que fuera una sorpresa.

Las niñas se voltearon a ver intrigadas.

—¿Una fiesta? —preguntó Lucía.

—¡Sí! ¡Una fiesta! ¡La mejor fiesta de todas! Va a ser en mi casa —respondió Frijolito.

Las niñas hicieron una bolita y empezaron a hablar en voz baja para tomar una decisión. Rodrigo sólo podía escuchar el cuchicheo y las risitas.

—Está bien, Rodrigo. Sí vamos a ir a tu fiesta, pero también tienes que invitar a Gerardo —dijo Lucía.

—Lo prometo —respondió Rodrigo, pero no tenía ni la más remota idea en lo que se estaba metiendo.

Cuando Rodrigo les pidió permiso a sus papás para hacer una fiesta en la casa, Laura le preguntó:

—¿Y por qué quieres hacer una fiesta?

Como no quería decir que las niñas lo habían descubierto espiándolas, sólo respondió:

—Pues para celebrar y divertirnos.

Antonio y Laura estuvieron de acuerdo y los preparativos para la fiesta empezaron el jueves. Laura metió a Rodrigo en su bolsa y fueron al supermercado para comprar todo lo que hacía falta. A Rodrigo le gustaba viajar en esa bolsa porque estaba llena de misterios: podía oler todos los perfumes, jugar con un espejito y pellizcar un pedazo de los chicles que su mamá escondía ahí.

Compraron globos, serpentinas, jugo de manzana, dulces, un pastel de chocolate y confeti. Para la cena, Laura y Antonio prepararían el platillo favorito de Rodrigo: espagueti. De seguro sería una fiesta memorable.

A las cinco en punto de la tarde del viernes sonó el timbre de la casa de los García Núñez y Oreja se puso a ladrar y a mover la cola de emoción. Todo el salón de Rodrigo había sido invitado a la fiesta.

A las cinco y media de la tarde Rodrigo saltó en un bote de mermelada de fresa y Carolina lo sacó.

A las seis de la tarde las niñas pusieron música porque querían bailar, pero ninguna se animaba. Los niños hicieron una bolita del otro lado de la sala. Gerardo intentó acercarse a Lucía, pero le temblaron las piernas y tuvo que sentarse. Al final, Carolina sacó a bailar a Rodrigo.

A las seis y media de la tarde estaban jugando a policías y ladrones y Rodrigo se escondió en el pelo de Paulina.

A las siete de la noche, después de correr y jugar como locos, todos los invitados morían de hambre. La mesa ya estaba servida y cada uno se sentó en su lugar. Cuando estaba a punto de sentarse, Gerardo se acordó de que no se había lavado las manos. Rodrigo le explicó en dónde estaba el baño y le pidió que lo dejara en la cocina porque quería preguntarle a su mamá si necesitaba ayuda con algo. Gerardo dejó a Frijolito juntó a la estufa y se fue al baño.

Laura no estaba en la cocina y Rodrigo se puso a dar vueltas en lo que llegaba. El espagueti olía exquisito, tan rico que el niño quiso verlo de cerca. Trepó por la pala de madera de la cocina hasta el borde de la olla y un delicioso vaporcito subió a su nariz y se le hizo agua la boca. Se asomó un poquito más y pudo ver el espagueti cubierto con una deliciosa salsa de tomate. Ya estaba dándose la vuelta para bajarse cuando se resbaló con una gota de salsa y cayó sobre el espagueti.

—¡Aaaaaaaaaa! —gritó Rodrigo.

Y aunque no se lastimó en la caída, fue a dar hasta el fondo de la olla.

—¡Sááááquenme de aquí! ¡Me caí en la olla!

Escuchó que alguien entraba y gritó de nuevo, pero sus gritos se perdían entre tanto espagueti.

—¡La cena está lista! —exclamó Laura.

Era su mamá y enseguida se llevó la olla de la cocina a la mesa del comedor.

Mientras Frijolito intentaba escalar los espaguetis para llegar a la superficie todo se movía de un lado para el otro. Era muy difícil saber por dónde subir en ese laberinto de comida, salsa de tomate, cebollas y pedacitos de carne molida.

—¡Ayuda! —gritó Rodrigo y un pedazo de albóndiga le pegó en la cabeza.

Había tanto ruido en la casa que era imposible que lo escucharan. La olla se dejó de mover cuando Laura la puso en el centro de la mesa.

—¿Quién quiere que le sirva espagueti?

—¡Yoooooooooooooo! —gritaron todos al mismo tiempo.

Entonces Laura metió la pala en la olla para servir la cena.

Manuel, Julieta, Gabi y Mauricio empezaron a comer de inmediato.

—Mmmmmmmm, está muy delicioso, mamá de Rodrigo —dijo Armando.

De pronto, Antonio hizo una pausa y dijo:

—Esperen. ¿En dónde está Rodrigo?

—Lo dejé junto a la olla del espagueti cuando me fui a lavar las manos —respondió Gerardo, que apenas había regresado del baño.

—Pero yo vengo de allí y no lo vi —agregó Laura con seriedad.

En ese momento se hizo un silencio tan grande que hasta se podían escuchar los grillos de la calle.

—¡Nadie coma espagueti! —gritó Antonio.

Manuel se quedó con la boca abierta y con el tenedor lleno de espagueti delante de él. Todos los niños voltearon sus platos en la mesa y con mucho cuidado empezaron a buscar a Rodrigo, quien se

había abrazado a un espagueti y su mamá lo había servido en un plato. Hubiera podido salir fácilmente, pero como todo estaba lleno de salsa se resbalaba y aunque gritaba con todas sus fuerzas nadie lo escuchaba. De pronto, oyó un ruido ensordecedor. Era el tenedor que chocaba contra el plato. Frijolito intentó alejarse de él, pero alguien ya estaba enredando los espaguetis con el tenedor y lo jaló hasta dejarlo atrapado entre la pasta.

—¿Se comieron a Rodrigo? —preguntó Teresita con cara de asustada.

—¡Rápido! ¡Hay que buscarlo!

—¡Aquí está! —exclamó Carlos.

En el tenedor de Carlos, atrapado en un montón de espaguetis, estaba Rodrigo lleno de salsa de jitomate.

Su mamá lo secó y se lo puso cerca del corazón. Y su papá lo acarició muy suavecito con la yema del dedo.

—¿Estás bien? —preguntó Laura.

—¿Sabes qué, mamá? —dijo Rodrigo.

—¿Qué?

—Ésta es la mejor fiesta que he tenido.

Todos los invitados se rieron. Y aunque Rodrigo se quedó oliendo a espagueti varios días, tenía la suerte de que era su platillo favorito.

UN NIÑO MICROSCÓPICO

Esta parte de la historia es la más dura de contar. Rodrigo se había encogido tanto pero tanto, que cada vez era más difícil verlo. Primero los García Núñez tuvieron que empezar a agacharse y hacer un esfuerzo con los ojos para ver a su hijo. Antonio construyó una pequeña caja de cristal para que Rodrigo viviera ahí y no se perdiera en la casa.

Tan sólo una semana después, hacer un esfuerzo con los ojos no era suficiente para ver al niño, así que Antonio compró una lupa muy potente.

—¡Rodrigooooo! —gritaban sus papás.

Entonces Frijolito escuchaba la voz de sus papás y caminaba hasta el lugar que habían señalado para verse, en una esquina de la cajita de cristal. Ellos sí podían verlo, pero escucharlo era imposible. La voz de Rodrigo era mucho más bajita que el sonido de los pasos de una hormiga y por eso tenía que hacerles señas con las manos. Sus papás sólo abrían la cajita para ponerle un poco de agua y comida. Con una sola migaja de pan, con un pedacito de dulce o de zanahoria, Rodrigo podía comer durante días. Y una gota de agua era como un estanque para él. Ahí podía bañarse y también nadar un buen rato.

Frijolito tenía que vivir en esa cajita porque cuando uno tiene ese tamaño existen algunas amenazas. A veces, cuando ya era de noche y Laura y Antonio ya se habían ido a dormir, una araña curiosa se acercaba a la cajita de cristal de Rodrigo. La primera vez que la vio se asustó muchísimo. Para alguien como Rodrigo, esa araña era del tamaño de un gigantesco dinosaurio, con sus patas peludas, sus miles de ojos y sus tenazas en la boca. Se veía horrorosa y temible, pero después de algunas visitas a Rodrigo le cayó bien y entendió que sólo era un bicho curioso, igual que los escarabajos y las moscas que a veces pasaban por ahí. Además, Rodrigo ya era tan chiquito que a la araña no le interesaba comérselo, porque jamás le quitaría el hambre.

Cuando Laura y Antonio se levantaban en la mañana y pasaban junto a la cajita de cristal, gritaban:

—¡Buenos días, Rodrigo!

Él escuchaba sus voces y seguía explorando ese pequeño mundo que cada día se hacía más enorme para él. Pasaron dos semanas y los García Núñez ya no pudieron ver a Rodrigo ni siquiera con la lupa. Entonces Antonio compró un microscopio muy potente, lo puso sobre la cajita de cristal y observó con atención.

—¿Ves algo? —preguntó Laura.

—No, todavía nada —respondió Antonio, pero de pronto dio un salto de alegría. ¡Ah! Ahí veo algo. Es una migaja de pan con unas mordidas de Rodrigo. Debe de estar por aquí —agregó.

A veces podían ver a Rodrigo con el microscopio yendo de un lado para otro en su cajita de cristal y siempre jugaba y sonreía.

Todas las noches, antes de irse a dormir, Laura y Antonio apagaban la luz y gritaban:

—¡Buenas noches, Rodrigo!

Y como él era tan, pero tan pequeñito a veces olvidaba que era un niño. Por supuesto que seguía siendo Rodrigo, pero era distinto ahora. Obviamente no se sentía como un niño "normal", pero tampoco se sentía como un insecto ¡y mucho menos como un microbio! Sólo se sentía como Rodrigo.

Una noche, Laura y Antonio platicaban al lado del microscopio. Rodrigo estaba escalando un pedazo de polvo y escuchó a la distancia, muy, muy lejos, la voz de sus papás y se acordó de ellos. Hacía mucho que no los veía ni los escuchaba. Entonces se concentró todo lo que pudo para entender sus palabras. Las voces llegaban como si vinieran de un planeta lejano y distinto al suyo.

—Aunque Rodrigo se haga más chiquito, yo siento que mi amor por él cada día se hace más grande —dijo Laura con una sonrisa en la boca. Y Antonio estaba de acuerdo con ella.

—No importa que sea minúsculo, yo siempre lo querré como si fuera un gigante —agregó Antonio.

—*¡Guaf, guaf!* —ladró Oreja.

Y Rodrigo, desde su cajita de cristal, se sintió feliz de escuchar esto.

—¿Tú crees que nos esté escuchando? —le preguntó Laura a Antonio.

—No lo sé.

—Siento que sí —dijo ella.

—¿Estará despierto? ¿Crees que podamos verlo? —preguntó Antonio.

—A ver, asómate —respondió Laura.

Antonio ajustó las lentes del microscopio y pudieron ver a Rodrigo. Estaba acostado en un pedazo de algodón y había cerrado los ojos para hacerse el dormido.

—Buenas noches, Frijolito —le dijeron Laura y Antonio.

Laura le mandó un beso a su hijo y Rodrigo sintió cómo llegaba hasta él y entonces sí se quedó profundamente dormido.

UN GOLPE DE VIENTO

Oreja estaba acostado en su rincón favorito de la casa; justo a un lado de la mesa del microscopio y de la cajita de cristal en la que vivía Rodrigo. Todas las noches dormía en ese lugar porque sabía muy bien que Rodrigo estaba ahí, aunque no lo viera, tal vez por su olfato de sabueso. Ya habían pasado varias semanas desde que Laura y Antonio habían visto a Frijolito por última vez. En el microscopio apenas había aparecido como un puntititito negro.

—¿Eres Rodrigo? —preguntó papá.

Y el punto que era Rodrigo dio un par de saltos.

Pero esa noche de verano todo estaba en calma en casa de los García Núñez. Laura y Antonio ya se habían dormido, afuera la luna llena brillaba y se podía escuchar el canto de los grillos. Oreja roncaba plácidamente cuando un ruido extraño lo despertó. Primero levantó una oreja y después la otra. Nada. Se estaba quedando dormido de nuevo cuando volvió a escuchar ese misterioso ruidito que venía de afuera de la casa. Oreja se sacudió y caminó hasta la ventana para echar un vistazo. Algo se movía entre los arbustos. El perro se puso en estado de alerta y pegó el hocico contra el vidrio de la ventana. El arbusto se movió una vez más y Oreja vio una figura blanca en la noche. Lleno de curiosidad, intentó saltar por la ventana para perseguirla. *¡Pac!* Pero la ventana estaba cerrada y Oreja se dio un buen golpe en la cabeza. La figura blanca apareció frente a él por completo. Era un gato, un gato blanco.

—*Grrrrrrrrrrrr* —gruñó Oreja.

¿Acaso era el mismo gato blanco que había rasguñado a Rodrigo en el parque? Oreja sintió que el felino se burlaba de él.

—*¡Guaf, guaf!* —ladró Oreja.

Empujó la ventana con todas sus fuerzas, pataleó, rascó y la ventana finalmente se abrió.

—*¡Miaaaaau!* —maulló el gato asustado.

De un salto, Oreja ya estaba afuera detrás del felino. Con el susto, el gato se metió a los arbustos y Oreja fue tras él. Los dos corrieron toda la noche.

La ventana de la casa de los García Núñez se quedó abierta de par en par y el viento movió las cortinas.

Después de un segundo de calma, otra fuerte corriente de viento entró de golpe a la casa. Los papeles que estaban sobre la mesa se cayeron y la cajita de cristal de Rodrigo se abrió. Entonces el viento levantó al niño como si fuera polvo y se suspendió en el aire adentro de su casa. Pudo ver la sala y el comedor, las escaleras y la puerta de la entrada, vio la cocina y un dibujo que había hecho y que estaba pegado en la puerta del refrigerador. Con un giro inesperado, la corriente de aire lo arrastró en un remolino hacia la ventana y salió volando de su casa.

Era fantástico, ¡estaba volando de verdad! Suspendido en el aire y llevado suavemente por el viento, se fue elevando poco a poco y pudo ver su casa desde afuera y también desde arriba. Pasó cerca de las ramas de los árboles y los escuchó moverse. Junto a él pasaron volando algunas semillas secas. Después pudo ver su calle, los techos de las casas de sus amigos y el parque de la esquina en donde Oreja seguía ladrándole al gato. Rodrigo continuó volando con el viento y se dio cuenta de que estaba feliz y de lo grande que era todo a su alrededor. Miró hacia el cielo y vio las estrellas y la luna brillando. Sentía el viento en el cuerpo. Pasó por encima de su escuela, vio el patio y las porterías y su salón de clase. Y siguió elevándose cada vez más alto y pudo ver la ciudad, las luces encendidas en la noche. Después vio el bosque y un río, y siguió volando más alto y más alto, con todas las cosas que existen y que no podemos ver.

ÍNDICE

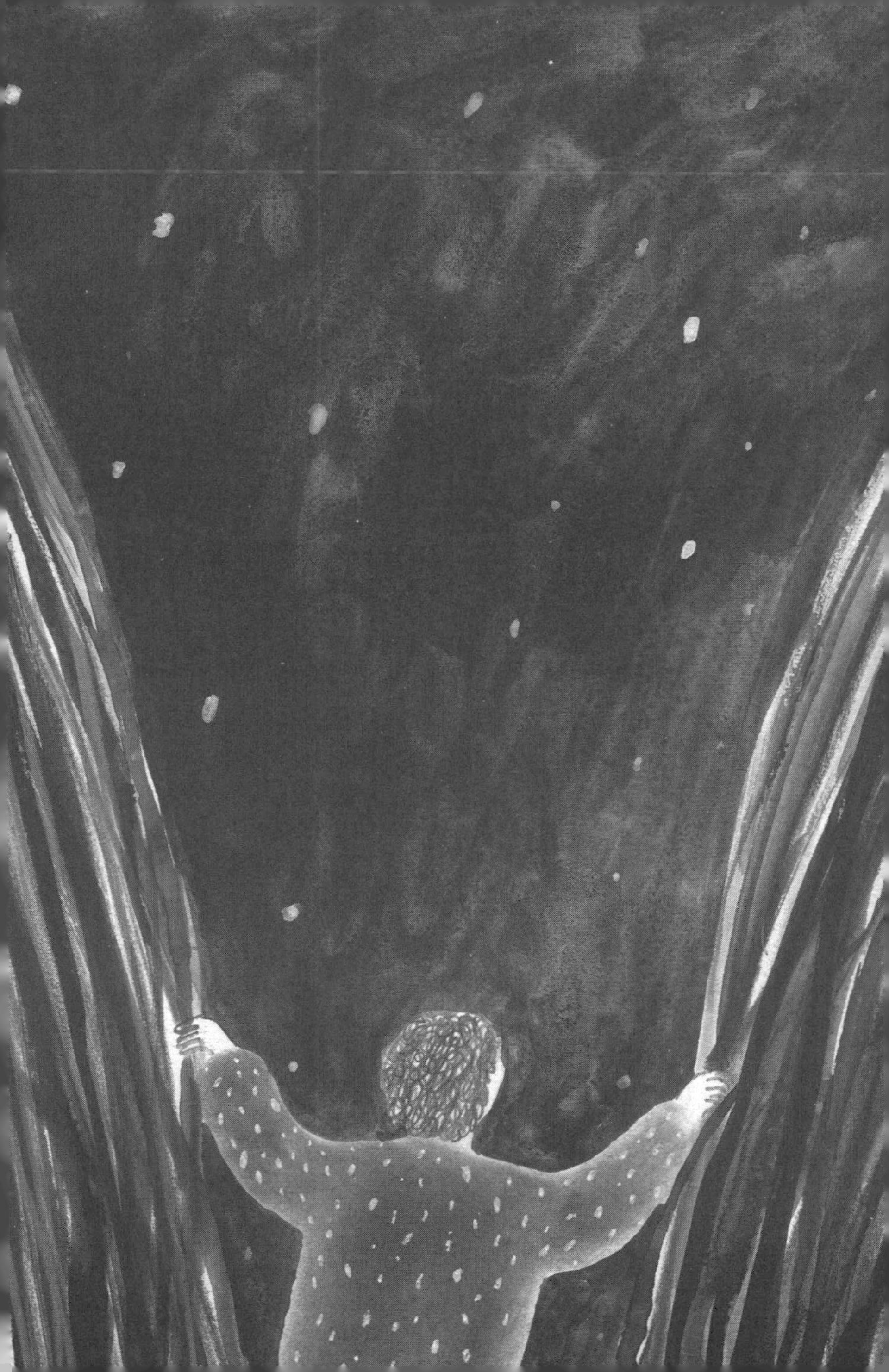

Impreso en los talleres de
Litográfica Ingramex, S. A. de C. V.
Centeno 162-1, Granjas Esmeralda,
Iztapalapa, C. P. 09810, Ciudad de México, México.
Mayo de 2018.